Índice de Contenido

A mis amigos y familia, quienes siempre están a mi mano derecha en apoyo y me animan a seguir en la mano derecha de Dios, cuando me siento débil o se me olvida la fuerza y bendiciones que se encuentran en la diestra de Dios.

Reconocimientos

Al reflexionar sobre los que han hecho posible este segundo libro, me siento abrumada. Dios es un proveedor fiel y ha hecho de este libro una realidad al llevarme en su mano derecha. Mi agradecimiento va dirigido primeramente a mi Padre celestial amoroso.

En segundo lugar, Katie Forbess, eres mi mano derecha en todo lo que se trata del Ministerio Hermana Rosa de Hierro — eres mucho más que "una animadora glorificada," como sueles llamarte. Mil gracias sinceras y profundas, mi amiga.

Mis padres siempre me han servido de mano derecha, no importa en qué proyecto me meto, incluyendo este libro. Por eso y muchas otras cosas, les agradezco a los dos.

También, doy muchas gracias a mi hermana, Jennifer (Goff) Sale, por editar, comentar, y sugerir, empezando en el aniversario de nuestro cumpleaños espiritual, lo cual hizo nuestra colaboración aún más especial.

Un reconocimiento especial va para las hermanas de la Iglesia de Cristo Noroeste en Denver, Colorado, por realizar este estudio conmigo.

Además, doy gracias a Deborah Gonzalez, Jonathan Hanegan, y Ana Teresa Vivas por editar el manuscrito.

No he pasado por ningún aspecto de este proceso a solas. Finalmente, agradezco a los siguientes individuos por su ayuda:

- Cynthia Cedeño por facilitar un retiro para escribir.
- Leslie Dean Photography por la imagen en la portada.
- Allan Javellana por el uso de su mano para la portada.
- Kenneth Mills por el diseño de la portada.
- Greg Douglas por la foto biográfica.
- Joel Friedlander, Book Template Designs.

Formato para los estudios bíblicos interactivos del Ministerio Hermana Rosa de Hierro

os estudios bíblicos del Ministerio Hermana Rosa de Hierro (MHRH) son diseñados para el contexto de grupos pequeños de damas. Aún si fuera posible darles "todas las respuestas" y darles mi perspectiva sobre los versículos y conceptos a ser presentados, no podría enfatizar lo suficiente el valor de la comunión, la conversación, y la oración con otras hermanas en Cristo. El formato de los estudios bíblicos interactivos permite mayor conversación, profundidad de conocimiento y perspectivas únicas. Si no siguen el libro exactamente, ¡está bien! Les invito a que los estudios sean suyos, que permitan que el Espíritu les guíe, y que traten a los estudios como guía y recurso, no como una fórmula.

Los estudios bíblicos MHRH también proveen la oportunidad para escribir un diario espiritual a nivel personal. Te animo a anotar la fecha en cada capítulo y apuntar en los márgenes mientras contestas las preguntas. Los "Elementos comunes" también sirven como un archivo de tu crecimiento espiritual individual y en comunión con tus Hermanas Rosa de Hierro.

Elementos comunes en los estudios MHRH

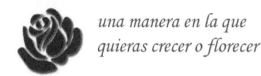

*una manera en la que
quieras crecer o florecer*

*una espina que
desees eliminar*

*un elemento que quieras profundizar
o un área en la que necesites a alguien
como afiladora en tu vida*

Usando la imagen de la rosa y el logotipo de MHRH, los pétalos de la rosa representan las áreas en las que reconocemos la necesidad de crecer o florecer. A través de los estudios, también podemos identificar espinas que deseemos eliminar o para las cuales necesitemos ayuda para eliminarlas. Puede ser que sean espinas como las de Pablo (2 Cor. 12:7-10), pero al identificarlas, ya se sabe dónde están y así podemos afilarlas o dejar de puyarnos a nosotras mismas o a otros con ellas. El último elemento común es el hierro. Se define y se facilita mejor (nos afilamos unas a otras como si fuéramos hierro) en comunión con otras hermanas cristianas, Hermanas Rosa de Hierro.

¿Qué es una Hermana Rosa de Hierro?

Una Hermana Rosa de Hierro es una hermana cristiana que sirve como hierro afilando a hierro (Prov. 27:17), quien anima e inspira a otras a ser tan bellas como rosas a pesar de unas espinas.

Propósitos de las relaciones Hermana Rosa de Hierro:

- Ánimo e inspiración
- Oración
- Entendimiento y afirmación
- Confidencialidad
- Llamado mutuo a vivir en santidad
- Amistad espiritual y conversación

Recomendaciones para estudios bíblicos del Ministerio Hermana Rosa de Hierro:

- Apartar al menos una hora y media para reunirse semanalmente.
  - o Somos mujeres — ¡Nos gusta hablar!
  - o Tiempo en oración
  - o Profundidad de conversación
- Rotar quien guíe el estudio entre TODAS las mujeres.
  - o ¡Todas pueden guiar!
  - o ¡Todas crecerán!
  - o Para más sugerencias, revisa la Guía para la líder (p. 7)
- Comprometerse a leer el capítulo de antemano.
  - o La conversación será más rica y profunda si todas vienen preparadas.
  - o Vas a sacar el provecho de acuerdo con el tiempo que le dedicas.
  - o Vas a necesitar tu Biblia favorita a mano para cumplir los estudios.
  - o Todo versículo, a menos que haya una notación, será citado de la Nueva Versión Internacional.
- Mantenerse en contacto durante la semana.
  - o Oración
  - o Ánimo
  - o Elementos comunes

El logotipo de MHRH se usa para resaltar preguntas que se pueden aprovechar en el contexto del grupo para tener una buena conversación y discusión del tema: rompe-hielo, preguntas para profundizar o buscar perspectivas distintas, y áreas para crecer y compartir.

Guía para la líder

Tal como se presentó en el *Formato para estudios bíblicos del Ministerio Hermana Rosa de Hierro*, cada Hermana Rosa de Hierro es animada a rotar dentro del grupo quien guía el estudio cada semana.

Aún si no te sientes equipada o capacitada para guiar la conversación o te falta experiencia, es una oportunidad rica para crecimiento y bendición. Estás entre hermanas y amigas que te están apoyando en esta parte de tu camino también.

Lo siguiente es una lista de consejos o sugerencias, especialmente para líderes nuevas:

- Haz que el estudio sea tuyo y deja que el Espíritu les guíe — estos estudios son un recurso no un guion.
  - Escoge las preguntas que más quieres mencionar para la conversación y decide cuales puedes saltar si les falta tiempo.
  - Siéntete libre de agregar tus propias preguntas o resaltar las porciones del capítulo que más te llamaron la atención — sin importar si fueron designadas para la discusión o no.
- Ser líder se trata de facilitar la conversación, no de tener todas las respuestas.
  - Cuando alguien menciona una situación difícil o presenta una pregunta complicada, siempre puedes abrir la pregunta para que todas tengan la oportunidad de

responder con la Escritura, no sólo con consejos personales.

- ○ Puede que la respuesta amerite un estudio más profundo de la Escritura o una consulta con alguien con más experiencia en la Palabra y/o experiencia acerca del asunto mencionado. ¡Y está bien! Estamos profundizando los temas.

- Mantente atenta para contestar primero las preguntas para la conversación y usa tus propios ejemplos, pero evita la tentación de ser la única que habla.
  - ○ Permite un tiempo de silencio incómodo, para dar la oportunidad a otras de pensar y compartir.
  - ○ Está bien pedirle a alguien en particular que conteste una pregunta específica.
  - ○ ¿Por qué? o ¿Por qué no? son buenas preguntas de seguimiento para facilitar la conversación profunda.

- Incluye ejemplos adicionales de la Escritura y anima a otras a hacer lo mismo.
  - ○ Programas por internet, tales como BibleGateway.com, proveen excelentes recursos: versiones múltiples de la Biblia, concordancias (para buscar la frecuencia con la cual aparece una palabra), diccionarios bíblicos, y comentarios / interpretaciones de eruditos.

- Da una conclusión práctica o una aplicación en tu vida para llevar a casa cuando cierren la reunión con los Elementos comunes.

- No te olvides planificar y apartar un tiempo para orar.

- Recuerda nuestros propósitos como Hermanas Rosa de Hierro, estudiantes de la Palabra, e hijas del Rey.

Introducción

Cuando estuve considerando qué carro comprar, opté por un Corolla de la Toyota®. Al considerar mi decisión, noté todos los otros Corollas en la calle. Fue como si nunca hubiera visto un Corolla anteriormente y ahora estaban en todas partes.

De igual manera, mi atención a las referencias de la mano derecha de Dios comenzó al meditar en Isaías 41, en un retiro de damas de la Iglesia de Cristo del Sur de Baton Rouge, en septiembre del 2012. Luego incluí mis reflexiones en un artículo para la revista *Wineskins* (mayo 2013) y en el cuarto capítulo del primer estudio bíblico interactivo del Ministerio Hermana Rosa de Hierro, *Humano Y Santo*. Compartiré algunas de esas mismas reflexiones en el Capítulo 2: Una promesa de protección y salvación.

Sin embargo, después de ese fin de semana, como en el caso de mi Corolla, empecé a notar la frecuencia de las referencias a la mano derecha de Dios: sesenta y cuatro veces, según la Nueva Versión Internacional. Cada vez que la Biblia menciona la diestra de Dios, me llamó la atención. Fue como si la mano derecha de Dios me estuviera guiando a esos versículos y, finalmente, a compartir el ánimo que recibí de esos versículos contigo.

Cuando enfrento desafíos, me lleno de temor, o estoy en tierra desconocida, me renueva y me fortalece acordar que estoy segura en la diestra de Dios.

Acompáñame a tomar la mano derecha de Dios. Nos va a iluminar el camino y abrir el entendimiento del honor, bendición, poder, autoridad, protección, salvación, fortaleza, y justicia que se encuentran en su mano derecha.

Un lugar de honor y bendición

M i conocimiento de Dios ha madurado con los años. La escuela dominical me presentó al Dios de Noé, David, y José. Me encantaron esas historias y las aventuras que representaban.

Pero al llegar a ser adulta, me he dado cuenta que el Creador de los cielos y la tierra también es el autor de mi vida. Mi entendimiento de Dios se ha profundizado al llegar a conocerle personalmente, no sólo saber cosas de él, a través de las historias bíblicas.

El mismo Dios que salvó a Noé y su familia en el arca (Gén. 6), es el Dios que tiene el poder para salvarme del mundo destructivo. Y por lo tanto, tengo esperanza (Lam. 3:21).

Dios acompañó a David para matar a Goliat (I Sam. 17), y camina conmigo hoy para vencer mis propios gigantes. ¿A quién temeré? (Sal. 27:1).

Los hermanos de José le tiraron en un pozo, le vendieron a los egipcios, decepcionaron a su padre, y, en general, trataron horriblemente a su hermano menor por los celos que le tenían. Sin embargo, el mismo Dios que rescató a José y redimió su historia es el Dios que obra para que todas las cosas sean para el bien de quienes le aman (Gén. 50:20; Rom. 8:28). Puedo confiar en el Señor y sus planes (Prov. 3:5-6).

Uno de los aspectos más reveladores del carácter de Dios, del cual he dependido mucho es su mano derecha. Para mí, es un lugar de paz y seguridad. Cuando me siento frustrada, desanimada, confundida, quebrantada... no importa lo que estoy enfrentando, puedo descansar segura en la mano derecha de Dios.

Es mi oración que tú también llegues a conocer a Dios — no sólo saber de él — a través de este estudio de su mano derecha. Ahora tú puedes descansar en la seguridad que se encuentra en su diestra, reconociendo y confiando en las promesas que se pueden obtener en su mano derecha.

Exploraremos su mano derecha como promesa de protección y salvación, como demostración de poder y autoridad, como fuente de fortaleza, como estándar de justicia, y donde Jesús se sienta para interceder.

Pero, ¿por qué la mano derecha de Dios?

La significancia de la mano derecha

¿Cuál mano pones sobre el corazón cuando cantas el himno nacional?

¿Cuál mano pones sobre la Biblia cuando juras que vas a decir la verdad?

Según varias fuentes, entre setenta y noventa por ciento de la población mundial tiene la mano derecha como su mano dominante. Y muchas cosas en el mundo tienden a esa preferencia. Las tijeras, un saludo de manos, cuadernos, escritorios — todo diseñado para atender a la mayoría de la población que usa la mano derecha.

Una de mis mejores amigas y su esposo son zurdos. Cuando me pongo a cocinar en su cocina, perdida y en búsqueda de algo, nos reímos porque tengo que pensar como una zurda para localizar el utensilio u olla que busco. Nueve veces de diez, al hacer ese breve ajuste en mi pensar, encuentro inmediatamente lo que estaba buscando.

Mi abuelo materno es zurdo, pero cuando él estaba en la escuela primaria, la maestra ató su mano izquierda para forzarle a usar la mano derecha para escribir. Ahora es ambidextro para muchas cosas que hace, pero el dominio que tiene con la mano izquierda le ayudó mucho al jugar basquetbol. ¡Nadie esperaba a alguien que brincaba para apuntar con la mano izquierda!

Tampoco anticiparon a Aod cuando usó su mano izquierda para clavar su espada en el gordo vientre de Eglón, rey de Moab (Jue. 3). Algunos eruditos sugieren que, como en el ejemplo de Aod, el uso de la mano izquierda indicaba una tendencia a decepcionar, específicamente en los tiempos de la Biblia.

Aunque el estigma que acompaña a los zurdos se ha minimizado en décadas más recientes, la significancia de la mano derecha se destaca y se resalta en la Escritura, empezando en Génesis con las bendiciones familiares.

Busca Génesis 48 y lee el capítulo entero.

Haz una lista de los personajes en el capítulo y explica su relación familiar, tomando nota del orden de nacimiento.

¿Cómo colocó José a sus hijos para recibir la bendición de Jacob?

¿Qué hizo Jacob?

¿Qué aprendemos de la significancia de la mano derecha para las bendiciones?

La mano derecha de Dios

Según la Nueva Versión Internacional (NVI), sesenta y cuatro veces en los Antiguo y Nuevo Testamentos vemos una referencia directa a la mano derecha o la diestra de Dios (enumeradas en el Apéndice A). Antes de profundizar una descripción de las facetas de la mano derecha de Dios en los otros capítulos, vamos a ver algunas de esas bendiciones en los salmos.

Describe la bendición que viene de la diestra de Dios en los siguientes salmos.

Salmo 17:6-9

Salmo 18:30-36

Salmo 20

Salmo 44:1-3

Salmo 48:10

Salmo 110:1

¿Cuáles de esas características de la mano derecha de Dios te anima más? ¿Por qué?

El lugar de honor en la mano derecha de Dios implica una relación, no sólo una bendición a distancia. Nos invita a ser hijas del Rey con todos los derechos y privilegios que vienen por ser hijas de Dios. Yo, Michelle, soy una hija del Rey, no sólo un miembro de su reino.

Repite esa frase insertando tu propio nombre: **"Yo, _____, soy una hija del Rey, no sólo un miembro de su reino."**

¿Qué significa esa frase para ti personalmente?

¡Dios decidió adoptarnos, bendecirnos, y regalarnos un lugar de honor en su mano derecha!

¿Qué revelan los siguientes versículos sobre ser una hija de Dios?

Romanos 8:15-17

Gálatas 4:4-7

Efesios 1:4-6

Juan 1:12-13

1 Juan 3:1-2

El amor de Dios para con sus hijos provee la afirmación de los privilegios y de la seguridad, como miembros de su familia. La seguridad y estabilidad que nos promete, como hijas de Dios, es un contraste con los hogares disfuncionales en los cuales muchos hemos crecido.

La seguridad verdadera no se encuentra en el hombre, pero podemos conocer la seguridad verdadera en la mano derecha de Dios. Hay "seguridad perdurable para los hijos verdaderos de Dios" (Packer, *El conocimiento del Dios santo*).

La seguridad perdurable quita el temor. Cuando estoy segura en la diestra de Dios, ¿a quién temeré?

Segura en la mano derecha de Dios

El temor es lo opuesto a la seguridad. Y la seguridad es lo que Dios ofrece generosamente a sus queridos hijos. Extiende su mano derecha como una invitación de bendición y guía, protección y paz, fuerza y promesa.

Como mujeres, anhelamos la seguridad. Según el libro, *Las necesidades de él, las necesidades de ella,* por William F. Harley, Jr., los hombres y las mujeres tienen cinco necesidades emocionales cada uno. La seguridad está al fondo de lo que la mujer más necesita — el elemento común de las cinco necesidades emocionales de la mujer (afecto, conversación, honestidad e intimidad, apoyo financiero, y compromiso familiar). El libro de Harley se enfoca en la relación de pareja, pero la seguridad emocional, económica, y hasta la física son importantes para toda mujer.

¿Por qué crees que las mujeres se sienten tan atraídas por los hombres en uniforme? Es el superhéroe que viene a salvar el día; el príncipe azul que llega montado en caballo blanco; el bombero, listo para rescatarnos de un edificio en llamas. Si sabemos que alguien está allí para protegernos, ya no dejamos que el temor a la circunstancia nos consuma.

El temor nos roba del gozo. La seguridad trae paz.

El temor nos lleva a caos y nos deja con sentimientos abrumadores de soledad. La seguridad en la diestra de Dios nos centra y nos recuerda que no estamos solas.

El temor opaca nuestro buen juicio. La seguridad, en la mano derecha de Dios, nos guía en caminos de justicia.

¿A quién temeré? A nadie, ni a nada si estoy plantada en la mano derecha de Dios.

¿Podemos comprender plenamente lo que Dios ofrece en su mano derecha si nuestra propia mano está cerrada?

El autor de la siguiente historia es desconocido, pero esta ilustración es un buen ejemplo de lo que Dios tiene para con nosotras cuando abrimos nuestra mano cerrada para tomar su mano derecha.

El collar de perlas: La bendición de un padre

Una niña gozosa con cabello rubio rizado estaba por cumplir cinco años. Esperando con su mamá para pagar en el supermercado, las vio: unas perlas brillando en forma de collar en una caja rosada. "Por favor, mamá. ¿Me las compras? Porfa, mamá, ¡por favor!"

De una vez, la mamá revisó la caja rosada para ver el precio y volvió a mirar los ojos azules de su hija, que le estaban rogando con la mirada. "Cuestan $1,95. Casi son dos dólares. Si de verdad las quieres, puedo pensar en algunas tareas adicionales en la casa y en poco tiempo puedes ahorrar suficiente dinero para comprártelas. Falta una semana para tu cumpleaños y puede que tu abuela te dé un dólar, también."

Tan pronto como Jenny llegó a la casa, vació su cajita con las monedas guardadas y contó diecisiete centavos. Después de la cena, hizo muchas tareas de la casa y fue a visitar a la vecina para pedir que le pagara diez centavos por buscarle unas flores. En su cumpleaños, la abuela le regaló un dólar y por fin tuvo suficiente dinero para comprar el collar de perlas.

A Jenny le encantaron sus perlas. Se sintió bien vestida y como adulta. Se las puso en toda ocasión — la escuela dominical, el kínder, hasta para dormir. Sólo se las quitó para bañarse dado que su mamá le dijo que si se mojaban, pudieran hacer que su cuello se pusiera verde.

Jenny también tenía un papá amoroso. Cada noche, cuando ella estaba lista para acostarse, él paraba lo que estaba haciendo para leerle un cuento. Una noche, después de leer el cuento, le preguntó a Jenny, "¿Me amas?"

"Sí papá, sabes que te amo."

"Entonces, dame tus perlas."

"Oh, papi, no mis perlas. Pero, te doy Princesa — el caballo blanco de mi colección — la que tiene una cola rosada. ¿Te acuerdas, papi? La que tú me diste. Es mi favorita."

"Está bien, hija. Papá te ama. Buenas noches." Le besó en la mejilla y la niña se durmió.

Luego de una semana, después del cuento para dormir, el papá de Jenny le preguntó otra vez, "¿Me amas?"

"Papi, sabes que te amo."

"Entonces, dame tus perlas."

"Oh, papá, no mis perlas. Pero, te puedo dar mi muñeca — la nueva que recibí en mi cumpleaños. Es tan bella y te doy la cobija amarilla que combina con su pijama también."

"Está bien. Que descanses y que Dios te bendiga, hijita. Papá te ama."

Y, como siempre, le besó en la mejilla y la niña se durmió.

Unas noches después, cuando el papá le llegó al cuarto, Jenny estaba sentada con las piernas cruzadas. Al acercarse a su cama, él notó que su barbilla estaba temblando y una lágrima silenciosa caía por su mejilla.

"¿Qué pasa, Jenny?"

Jenny no dijo nada. Levantó su mano pequeña hacia su papá y cuando la abrió, allí estaba su collar de perlas. Con un pequeño temblor en la voz, por fin dijo, "Toma, papá. Es para ti."

Con lágrimas en sus propios ojos, el papá de Jenny extendió su mano para recibir el collar del supermercado, y con la otra mano, sacó de su bolsillo una cajita de terciopelo azul. Adentro había un collar de perlas genuinas y se las dio a Jenny. Las tenía guardadas en el bolsillo cada noche que entró para acostar a su hija. Estaba esperando a que ella soltara el collar barato para poder regalarle el tesoro verdadero.

Es igual con nuestro Padre celestial. Está esperando para que soltemos las cosas que no valen mucho en nuestras vidas para bendecirnos con un tesoro bellísimo.

Lo que ofrece Dios es mayor que un collar de perlas para su hija. Nos invita a un lugar de honor a su diestra. Como hijas adoptadas del Rey, derrama sobre nosotras muchas bendiciones que salen de su mano derecha. Pero no podemos tomar su mano y aceptar esas bendiciones sin antes soltar lo que estamos aferrando en la mano cerrada.

"Querido Dios,
Me da tanto miedo abrir mi mano cerrada.
¿Quién seré cuando ya no tengo nada que sostener?
¿Quién seré cuando me presento delante de ti con manos vacías?
Por favor, ayúdame a abrir mis manos gradualmente
y descubrir que no soy lo que me pertenece,
sino lo que me quieres dar."
— Henri J. M. Nouwen, *Lo único necesario: Vivir una vida de oración*

 Reflexión: ¿A qué estás aferrada con la mano cerrada? ¿Qué necesitas entregarle a Dios para poder recibir sus promesas y tomar su mano derecha?

La respuesta de la pregunta para reflexión sirve como buena transición a los Elementos comunes.

Los "Elementos comunes" son una manera de hacer que cualquier lección sea muy personal y muy práctica. Los aspectos de los Elementos comunes se toman de las tres partes del logotipo del Ministerio Hermana Rosa de Hierro (MHRH). En vista de la meta principal del MHRH — equipar a las mujeres para que se conecten con Dios y con otras hermanas en Cristo más profundamente — te animo a ser honesta en cuanto a los elementos comunes y que los compartas en oración con las otras mujeres de tu grupo, tus Hermanas Rosa de Hierro.

Elementos comunes:

Una manera en la que quieras crecer o florecer.

_____

_____

Una espina que desees eliminar.

_____

_____

Un área en la que quieras profundizar o en la que necesites a alguien como afiladora en tu vida.

_____

_____

Un mensaje de esperanza, una palabra animadora, o un versículo bíblico.

_____

_____

CAPÍTULO 2

Una promesa de protección y salvación

Cuando tenía seis años, había una camisa rosada con letras negras que decía "Princesa." Me ponía la camisa con todo el orgullo que viene con ese título. Y después de que la camisa ya no me quedó, y la pasé a mis tres hermanitas, me acuerdo del deseo de volver a ponérmela por cómo me sentía al vestirme con ella. "Princesa." Fue como si nadie sino yo fuera princesa ese día, y la camisa me ofrecía protección contra cualquier persona que pensara lo contrario.

Cuando nos vestimos con Cristo (Gal. 3:27), tenemos el privilegio de compartir ese mismo tipo de protección contra los ataques de Satanás. Nos abraza el sentimiento que viene al ser una hija del Rey.

Cuando te veas en el espejo hoy, imagínate con una camisa de princesa que se ha puesto sobre ti con mucho amor. Eres una hija amada del Rey, ¡su princesa!

Dios ama a cada una de sus hijas con un amor duradero (Jer. 31:3). Anhela proteger a sus princesas preciosas y calmar nuestros temores.

Lee Isaías 43:1-7. ¿Qué razones da Dios para no temer?

¿Notaste la promesa personal en el primer versículo? "No temas, que yo te he redimido; te he llamado por tu nombre; tú eres mío" (Isa. 43:1b).

Copia abajo esa misma porción del versículo 1. Al escribirlo, agrega tu nombre donde dice "tú," e imagina a Dios consolándote y afirmando su amor al hablar esas palabras sobre ti.

Dios conoce a sus hijas íntimamente. Nos llama por nombre. Sabe cuántos cabellos hay en nuestra cabeza. Y si piensas que las promesas en Isaías 43 fueron exclusivas para Jacob, ¿qué dice Mateo 10:29-31 sobre tu valor?

No temas en la mano derecha de Dios

La instrucción, "no temas," de Isaías 43 se repita en Isaías 41. Lee los versículos del 8 al 14 del capítulo 41 y haz una lista de las diferentes maneras en que Dios expresa el concepto, "no temas." (Nota: Cada uno empieza con "no.")

¿Por qué crees que Dios quiso que Isaías compartiera esa misma instrucción varias veces y de muchas maneras?

 Ahora, viéndolo de otra manera, Dios nos da unas promesas en los mismos versículos — afirmaciones que nos dan la fuerza para no caer en temor. Haz una lista de las promesas presentadas en los mismos versículos 8 a 14.

¿Cuál es la promesa específica que se encuentra en la diestra de Dios en el versículo 10?

Mi propio estudio de estos versículos de Isaías 41 fue la inspiración inicial de este libro y una vista más profunda de la mano derecha de Dios. Voy a compartir algunas de esas reflexiones y las circunstancias en las cuales me encontré cuando noté la significancia de la diestra de Dios.

Mi propio camino hacia la mano derecha de Dios

Siempre he confiado en las promesas de Josué 1:5 que Dios nunca nos dejará ni nos desamparará; su llamado a esforzarnos y ser valientes — a no temer en los versículos 6, 7, y 9; y su promesa de siempre estar con nosotros al final del versículo 9. ¿Reconoces el lenguaje similar y la promesa de acompañarnos en Isaías 41:10? Son pasajes paralelos, sin embargo, Isaías agrega un detalle único: las promesas se realizan en la mano derecha de Dios.

Empecé a visualizar el abrazo de Dios que se pinta en su diestra en los versículos 10 y 13, pero nunca comprendí tan profundamente la belleza y el poder de ese consuelo hasta el momento cuando de verdad lo necesitaba.

Fue un momento de gran quebranto en mi vida. Mi prometido había terminado nuestra relación sin advertencia y repentinamente dos meses y medio antes de la boda. Entré en shock y estuve deprimida — tan deprimida que estaba asustando a los amigos y la familia. Comencé a tener ansiedad social, incluso tuve unos ataques de pánico. Me sentí abrumada por las muchas emociones y reacciones que me eran muy extrañas.

No sabía qué hacer, pero una amiga me invitó a pasar unos días en su casa en Atlanta, Georgia (en ese tiempo yo vivía en Baton Rouge, Luisiana). Luego, las dos iríamos en carro a la costa del Golfo en Alabama para un retiro de damas de la Iglesia de Cristo del Sur de Baton Rouge. Después del retiro, volvería a casa con otras amigas.

Paralizada para tomar mis propias decisiones, accedí. Avanza a tres semanas después de la ruptura, en el retiro de damas al que hubiera preferido faltar. Al tratar de eludir la conversación y las miradas patéticas de las otras mujeres presentes, evité mirar a todas a los ojos y puse la cara en mi Biblia. Me encontré en Isaías 41, leyendo y meditando.

Noté la promesa en el versículo 10 que Dios "te sostendré con [su] diestra victoriosa." Luego, en el versículo 13, leí que Dios, "sostiene tu mano derecha; yo soy quien te dice: No temas, yo te ayudaré." *Su* mano derecha con *tu* mano derecha. Las personas se tienen que presentar cara a cara para tomarse ambos de la mano derecha.

Quedé asombrada al darme cuenta de esa realidad: Dios, frente a mí, viendo mi dolor, tomándome de la mano y sosteniéndome en su abrazo. Guao. El Dios de todo consuelo me consoló profundamente en su presencia amorosa en ese momento, encontrándome donde estaba y guiándome a la sanación.

Antes de seguir, te invito a tomar un momento para probar esa promesa. Mira a cada mujer en tu grupo pequeño, tu Hermana Rosa de Hierro, a los ojos y toma su mano derecha al decir las siguientes palabras de verdad: "Dios te está sosteniendo en su mano derecha."

¿Qué impacto tienen esas palabras cuando son pronunciadas por otra sobre ti? (Puede que quieras aprovechar las páginas de Notas al final del libro o en tu propio cuaderno para escribir un poco sobre lo que significa para ti ser sostenida en la diestra de Dios.)

Para mí, me cambió la vida. El momento ese sábado por la tarde en septiembre cuando sentí la protección y el confort en la mano derecha de Dios está marcado en mi mente y mi corazón. Fue un momento clave en el que Dios me vio, quebrantada, y desnuda delante de él, y estaba bien. Me dio la bienvenida a sus brazos y creo que fue la primera vez que pude respirar bien después de que había perdido el aliento hacía tres semanas.

Mantenerse en la mano derecha de Dios

Durante las siguientes semanas, meses, y años, recordé ese momento y la promesa de seguridad que había encontrado en la mano derecha de Dios. Mis temores no se me quitaron de inmediato, pero recordé que fue posible confiar en él que es fiel — él que había extendido su mano derecha para salvarme y quién lo haría una y otra vez.

Al temer ataques a futuro, abrumada por la duda y frustración, confié en él que protege y dependí de la promesa que me sostiene en su diestra. Descansé, consolada en esa promesa, y me permití pasar un tiempo en la mano derecha de Dios — segura y en paz.

Mi lugar en la mano derecha de Dios no cambió mis circunstancias, pero me recordó que ¡siempre *puedo* confiar en el Dios que es mayor que cualquier circunstancia! ¡Es más, su mano derecha es tan grande que puede sostenerte también!

El sufrimiento nos invita a poner nuestras heridas en manos más grandes. En Cristo, vemos a Dios sufriendo — por nosotros. Y nos llama a compartir en el amor sufrido de Dios por un mundo dolorido. Los pequeños dolores y abrumadores de nuestras vidas están conectadas íntimamente con los dolores mayores de Cristo. Nuestras tristezas diarias se anclan en la tristeza más profunda de Cristo y por lo tanto, una esperanza mayor. – Henri J. M. Nouwen

Entregué mis cargas, mi dolor, y mi tristeza en las manos capaces de Dios. La mano derecha de Dios me llevó por un tiempo de consejería, con el apoyo de amigos y la familia. La diestra de Dios me acompañó a tomar un paso a la vez y compartir con otros mis luchas y el consuelo que había recibido para que nadie se sintiera sola (2 Cor. 1:3-7). La mano derecha de Dios me guio a iniciar el Ministerio Hermana Rosa de Hierro y compartir palabras de esperanza y promesa en inglés y español con las mujeres a lo largo de las Américas.

"Gracias a sus heridas fuimos sanados" (Isa. 53:5). El regalo generoso de la salvación fue por su mano derecha traspasada para que los que mueran con él pueden ser resucitados en novedad de vida (Rom. 6:1-6).

 Toma un momento para reflexionar en eso. ¿Cuál es el costo de la protección y la salvación de Dios?

Encontramos la promesa de Dios de protección y salvación en su mano derecha en los tres siguientes versículos. ¿Qué más tienen estos versículos en común?

Salmo 17:7

Salmo 44:3

Salmo 108:6

¿La protección y salvación en la mano derecha de Dios son una extensión de qué?

La oración nos mantiene en la mano derecha de Dios

¿De verdad Dios me ama tanto? ¡Sí! Pero Satanás quiere convencernos que no somos dignos del amor de Dios. Y cuando me olvido del amor de Dios, cuando los ataques de Satanás son feroces, siempre puedo ir al Padre en oración — me mantiene presente y segura en su mano derecha.

La oración es una de las mejores herramientas en nuestro arsenal para enfrentar los ataques de Satanás y combatir las dudas que aumentan nuestros temores. La oración no es solo ir a Dios con nuestras peticiones. Es la comunicación de doble vía con nuestro Padre celestial: escuchar sus promesas y dejar a sus pies lo que más nos pesa en el corazón.

A través de la oración, nos mantenemos conectados en relación con Dios. Ninguna relación será profunda ni duradera si no hay una constante comunicación saludable. Cuando más nos conectemos con el Padre a través de la oración, más llegamos a conocerle y nos acordamos de sus promesas — y así nos mantenemos en su mano derecha.

Uno de los mejores ejemplos de alguien entregado a la oración es Daniel. Vemos cómo confió en Dios y en su plan en varios aspectos de su vida. ¿Cuál fue su compromiso con la oración? (Dan. 6:10-11)

Aun si ya conoces la historia, vuelve a leer todo el capítulo 6 del libro de Daniel. No es sólo una historia para niños. Hay muchas aplicaciones poderosas para nosotras como mujeres hoy.

¿Qué hizo el ángel de Dios en Daniel 6:22?

Si Dios puede cerrar la boca de los leones feroces, ¿qué más puede hacer para protegernos y salvarnos de una destrucción cierta? ¿Qué o a quién tememos?

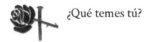 ¿Qué temes tú?

La relación que Daniel tenía con Dios puso en perspectiva sus temores. Daniel invocó al nombre del Señor en sumisión y obediencia, sin importar el resultado. Sus amigos, Sadrac, Mesac, y Abednego, hicieron lo mismo en Daniel 3, cuando les amenazaron con la muerte en un horno en llamas.

Si se nos arroja al horno en llamas, el Dios al que servimos puede librarnos del
horno y de las manos de Su Majestad. Pero aun si nuestro Dios no lo hace así, sepa
usted que no honraremos a sus dioses ni adoraremos a su estatua. (Dan. 3:17-18)

Tanto el Rey Nabucodonosor como el Rey Darío cambiaron de perspectiva después de ver la protección y salvación de Dios para con su pueblo — los que fueron llamados por su nombre.

La noche antes de ir a la cruz, Jesús oró por nuestra protección (Juan 17:11-19). ¿Por cuál poder dice que seremos protegidos?

Victoria en la diestra de Dios

Jesús, Daniel, y David nos recuerdan que hay poder cuando invocamos al nombre del Señor. El Salmo 20 resalta la protección recibida por el nombre del Señor nuestro Dios y además, nos recuerda que podemos confiar en el poder salvador de la mano derecha de Dios (versículo 6).

Acompáñame a leer la oración de David en Salmo 20 (escrito abajo, RV60).

Cuando lo lees por primera vez, dibuja un círculo en cada referencia al nombre de Dios, y coloca una estrella al lado de cualquier referencia de la mano derecha de Dios.

La segunda vez que lo lees, léelo como si David estuviera orando sobre ti.

Jehová te oiga en el día de conflicto;
El nombre del Dios de Jacob te defienda.
Te envíe ayuda desde el santuario,
Y desde Sion te sostenga.
Haga memoria de todas tus ofrendas,

Y acepte tu holocausto. Selah
Te dé conforme al deseo de tu corazón,
Y cumpla todo tu consejo.
Nosotros nos alegraremos en tu salvación,
Y alzaremos pendón en el nombre de nuestro Dios;
Conceda Jehová todas tus peticiones.
Ahora conozco que Jehová salva a su ungido;
Lo oirá desde sus santos cielos
Con la potencia salvadora de su diestra.
Estos confían en carros, y aquéllos en caballos;
Mas nosotros del nombre de Jehová nuestro Dios tendremos memoria.
Ellos flaquean y caen,
Mas nosotros nos levantamos, y estamos en pie.
Salva, Jehová;
Que el Rey nos oiga en el día que lo invoquemos.

 Describe la transición por la cual pasa David del principio al final del salmo.

Como te puedes imaginar, después de contarles la historia que compartí en este mismo capítulo, gemía yo con mucha angustia, pero como David nos invita en el versículo 5, ahora podemos celebrar con victoria y desplegar una bandera en el nombre de nuestro Dios.

En la bandera en la siguiente página, anota una victoria en la cual te puedes regocijar con las otras mujeres en tu grupo pequeño. Dios ha provisto a esas mujeres como Hermanas Rosa de Hierro: para servir como hierro afilando a hierro y a animarte e inspirarte a ser tan bella como una rosa a pesar de unas espinas. Están para regocijarse y llorar contigo (Rom. 12:15). Vamos a poner eso en práctica ahora mismo.

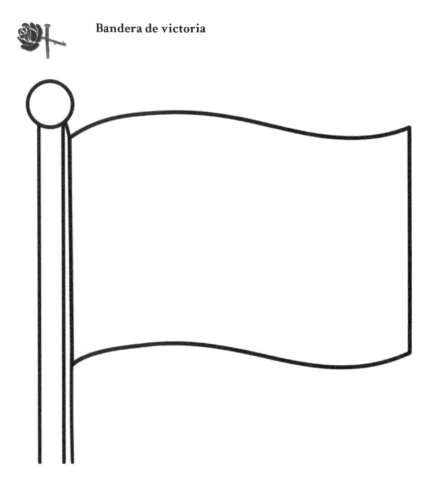

Bandera de victoria

Lo que ahora se celebra en victoria, podría haberse parecido imposible en los primeros momentos de angustia. Aun después de encontrar protección en la mano derecha de Dios — lo que me apasionó y me inspiró a escribir este libro, fue un proceso de aprender a confiar nuevamente.

Dios conoce la inquietud con la cual nos resistimos a confiar después de ser heridas, y nos encuentra allí. Puede ser difícil volver a confiar en otro para protegernos. Sin embargo, la seguridad que encontramos en la protección de Dios es de otro nivel. ¿A quién temeré? "Si Dios está de nuestra parte, ¿quién puede estar en contra nuestra?" (Rom. 8:31) "Confiamos en el nombre del Señor nuestro Dios" (Sal. 20:6).

Vamos a explorar otras facetas de la mano derecha de Dios que aparecen en la Biblia, pero al cerrar este capítulo, te invito a abrazar la promesa de protección y salvación para tu vida en la mano derecha de Dios. Que sea muy personal y muy práctica con un tiempo de oración y reflexión con los Elementos comunes.

Elementos comunes:

 Una manera en la que quieras crecer o florecer.

_____

_____

Una espina que desees eliminar.

_____

_____

Un área en la que quieras profundizar o en la que necesites a alguien como afiladora en tu vida.

_____

_____

Un mensaje de esperanza, una palabra animadora, o un versículo bíblico.

_____

_____

CAPÍTULO 3

Una demostración de poder y autoridad

"¡Poder cósmico fenomenal! Vivienda pequeñita." Es una de mis citas favoritas de la película Disney, *Aladdín*. El genio describe sus poderes en canción y lamenta sus limitaciones y la complejidad de los tres deseos que le va a realizar.

A veces tratamos a Dios como un genio cósmico, presentando nuestros deseos en oración, pero limitándole a una lámpara dorada, un envase que restringe su verdadero poder y su autoridad en nuestras vidas.

La mano derecha de Dios es infinitamente poderosa y tiene toda autoridad. Sea que cedamos el poco poder y autoridad que tenemos sobre nuestras vidas por voluntad propia, o no, Dios es el que está en control.

El Rey de reyes es nuestro Padre y nos invita a sentarnos a su diestra — un lugar de honor y bendición. Pero como Rey, también está en posición de poder y autoridad.

 Haz una lista de cinco manifestaciones del poder de Dios usando ejemplos bíblicos. Asegúrate de incluir la referencia bíblica. Y pon una estrella al lado de tu ejemplo favorito.

¡Servimos a un Dios poderoso! ¿Amén? Dios es el mismo ayer, hoy, y por siempre (Heb. 13:8), pero nos olvidamos de esa verdad cuando nuestros corazones se llenan de temor y dudas. Perdemos vista de las demostraciones de su poder y autoridad, cuando el caos de la vida opaca nuestra visión.

¿Qué dice Asaf que va a recordar en el Salmo 77:10-12?

Vamos a tomar un momento para recordar algunas demostraciones específicas de poder y autoridad de la mano derecha de Dios. Según los siguientes versículos, ¿qué se hizo por la mano derecha de Dios?

Éxodo 15:6, 12

Salmo 45:4

Isaías 48:13

¿Cómo demuestra Dios ese poder hoy? ¿O no lo hace?

Haz una lista de tres cosas que el poder de Dios ha hecho en tu vida.

Cuando dudo del poder de Dios en mi vida, uno de mis versículos favoritos para recordar su poder es Efesios 3:20-21.

Al que puede hacer muchísimo más que todo lo que podamos imaginarnos o pedir, por el poder que obra eficazmente en nosotros, ¡a él sea la gloria en la iglesia y en Cristo Jesús por todas las generaciones, por los siglos de los siglos! Amén.

Subraya la parte que indica dónde el poder de Dios obra. ¿Hay algo imposible para Dios?

 ¿Por qué sentimos a veces que su poder no está obrando en nosotros?

 ¿Cuál es más fácil de dejar obrar en tu vida: el poder o la autoridad de Dios? ¿Cuál es la diferencia entre los dos?

Dejar el poder y la autoridad en la mano derecha de Dios

¿Accedo a darle el poder a Dios en mi vida? ¡Sí, por favor! Pero para poder darle ese poder, ¿tengo que someterme a él y seguir su sabiduría y autoridad? Pues... déjame pensarlo. No somos los únicos que hemos luchado con rendirnos ante Dios y someternos a su autoridad.

¿El brazo de quién fue fortalecido por Dios en Isaías 63:12?

¿Para qué le dio Dios a su siervo ese poder en su mano derecha?

Dios fortalece nuestra mano derecha, pero debemos recordar quién es la fuente definitiva de poder y autoridad.

Isaías hace referencia a los eventos de Éxodo 14. Busca Éxodo 14 para resaltar un aspecto de esa historia.

¿A qué temieron los israelitas en Éxodo 14:10-12?

¿Cómo respondió Moisés en los versículos 13-14?

Escribe Éxodo 14:14 abajo.

¡Dios está a cargo! No importa qué temes, Dios presentará batalla por ti. Sólo debes quedarte quieta. ¿Qué pasa cuando vamos a solas y pensamos que lo podemos hacer solas — así como dejar de reconocer la autoridad de Dios?

Moisés quiso hacer las cosas a su manera, olvidándose de que su poder venía de Dios y que sólo fue por la autoridad de Dios que podía realizar los milagros que hizo, al guiar a la nación de Israel. Veamos la historia en Números 20:1-13.

¿Qué le pidió Dios a Moisés hacer, para proveer por su pueblo?

¿Y qué hizo Moisés?

Se asegura un camino destructivo si no nos sometemos a la autoridad de Dios. Permítame compartir una ilustración de la autoridad de Dios en comparación con la nuestra.

El capitán en el puente de mando de un gran barco vio una luz adelante en un trayecto de choque. Señaló: "Cambia tu rumbo por diez grados hacia el sur."

Se respondió: "Cambia tu rumbo por diez grados hacia el norte."

El capitán luego señaló: "Cambia tu rumbo diez grados al sur. Soy el capitán."

La respuesta: "Cambia tu rumbo diez grados al norte. Soy un marinero de tercera clase."

El capitán furioso señaló: "Cambia tu rumbo diez grados al sur. Soy un acorazado."

La respuesta: "Cambia tu rumbo diez grados al norte. Soy un faro."

La autoridad de Dios es definitiva, absoluta, e inquebrantable. En Mateo 27:27-31, los soldados se burlan del poder y autoridad de Jesús al ponerle un manto en su espalda, una corona de espinas en su cabeza, y en la mano derecha le pusieron una caña.

 ¿Nos burlamos del poder y autoridad de Cristo hoy? ¿Cómo lo hacemos o cómo no?

Otra manera de expresar los conceptos de poder y autoridad es el control.

El control es algo elusivo e intangible, que siempre parece fuera de nuestro alcance. Quizás porque necesitamos dejarlo en la mano derecha de quien de verdad tiene todo bajo control…

Al iniciar el Ministerio Hermana Rosa de Hierro, tomé un gran paso de fe. Renuncié a mi trabajo en el ministerio local para enfocarme en un ministerio más global. Vendí mi casa y me mudé al otro lado del país al sótano de la casa de mi tercera hermana y mi cuñado. (Y les doy muchísimas gracias por su hospitalidad generosa.) Todas las cosas que antes había pensado tener bajo mi control, tuve que rendirlas en sumisión a la voluntad de Dios.

Al invitar a Dios a tomar el control de mi vida, le pedí que demostrara el mismo poder y autoridad que ejerce en la Biblia. Pues, decir que le había invitado a tomar el control completo en mi vida puede ser una pequeña exageración. Se sabe que he tenido unos problemas con el control.

Todo es parte del trayecto

Motivada. Una personalidad tipo-A. Terca. Bien organizada. Súper controladora. Lo he oído todo. Y Dios ha tenido que pulir una cantidad de filos ásperos para ablandar mi comportamiento y mi interacción con otros.

Esa lección nunca se hizo más real que un día de viaje a la playa con un grupo de venezolanos. Sirviendo como misionera en Latinoamérica, la flexibilidad tiene que ser tu modo de pensar. Se hacen planes, pero los horarios son meramente una sugerencia.

La congregación en el Este de Caracas que comenzó reuniéndose en mi apartamento en febrero 2003 iba a realizar un viaje a la playa como un día de vacaciones relajantes en familia. Pero algunos no estuvieron tan relajados. Lo admito: *yo* no estuve relajada.

Nos citamos para reunirnos a las 6:30 a.m. para ir en caravana, usando un autobús y unos vehículos, incluyendo mi Jeep. No siendo una persona madrugadora, decidí sacrificarme por mis hermanos y hermanas en Cristo, y también para visitar las aguas claras del Caribe. La playa me estaba llamando y estaba lista para disfrutarla.

Los minutos fueron pasando... 6:45, 7:00, 7:15, 7:30... Más de una hora había pasado después de la hora fijada para salir, y quizás la mitad del grupo había llegado. Mi nivel de ira iba en aumento y la frustración al lamentar el sueño perdido por pararme al lado de la calle y por esperar a otros para poder partir.

Por fin salimos y fue un viaje no muy gozoso para los que estuvieron en mi carro. Mi actitud había empeorado y mi paciencia se había agotado, así que el silencio fue mi mejor recurso.

Al acercarnos al destino, mi enojo bajó y al llegar a las lanchas que nos llevarían a la playa de la isla Caracolito, el aire del mar y la arena entre los dedos de mis pies se convirtieron en la mejor terapia.

Subir a las lanchas no fue nada fácil. Si mi memoria no me falla, había unas cuarenta personas con bolsas de comida, bebidas, toallas, y otras cosas que llevamos a la playa. Por fin, desembarcados en la orilla, empezamos a disfrutar el agua y la comunión entre hermanos.

Un poco más tarde, me acordé de la advertencia de la consejera en un campamento, "Nunca patees a una pelota de vóleibol." Un grupo de los jóvenes tomó la pelota de vóleibol que se había sido regalada a la iglesia y empezaron a usarla como pelota de fútbol en la arena.

Mi ira, que había bajado desde la mañana, parece que no había bajado lo suficiente. La sentí abundante al pedir con calma que me devolvieran la pelota. "Ustedes tenían que traer su propia pelota de fútbol. Ésta es una pelota de vóleibol. La van a arruinar. Gracias por entender." Me acuerdo haber murmurado algo así al volver a la sombra y mi almuerzo.

El resto del día siguió sin incidentes y todos regresamos bien a la ciudad, cansados, listos para bañarnos y salir a cenar esa noche. El predicador, su esposa, y yo habíamos hecho planes para encontrarnos en uno de nuestros restaurantes favoritos dado que ninguno quisiera cocinar después de un largo día en la playa.

Con el cabello mojado por la ducha, contesté el teléfono que estaba sonando — emocionada por cómo había mejorado el día. Contesté con una voz alegre, esperando el mismo tono de voz por la otra línea.

"Michelle, lo sentimos mucho, pero no podemos salir a cenar contigo esta noche."

"¿Qué pasó? ¿Surgió algo?"

"No, es que ya no podemos estar contigo. Nos heriste y nos ofendiste — a nosotros y a otros — con tu actitud hoy. Y aunque te amamos, de verdad no podemos estar contigo esta noche."

Sorprendida, titubeé y les pedí disculpas. Pregunté qué había hecho que les ofendió tanto. No quisieron especificar las razones ni los detalles de los eventos, pero entendí claramente que mi actitud dejó mucho que desear, y que había dejado que mi frustración me controlara durante el transcurso del día.

Antes de colgar, les pedí disculpas nuevamente y me dijeron que me perdonaron. "Pero aunque te hemos perdonado, no podemos salir a cenar contigo esta noche."

"Entiendo. Gracias." Colgué con una tremenda tristeza.

De inmediato, marqué el número del joven que había tomado prestado la pelota de vóleibol esa tarde y le pedí disculpas por mi actitud y la manera en que le había ofendido. "Fui un mal ejemplo de una cristiana hoy y lo siento mucho."

Destrozada por mi actitud y mis acciones, humillada por el dolor que había causado en otros, y el daño posible a nuestras relaciones, pasé un buen rato en oración y reflexión esa noche y en los días venideros.

¿Tenía control sobre los venezolanos y su concepto de tiempo? No. ¿Qué poder o autoridad tenía al tratar de controlar las circunstancias del día? Ninguno. Y en realidad, ¿qué importó más: salir a tiempo, una pelota de vóleibol en buenas condiciones, o un buen rato de comunión para una congregación joven?

Lentamente, me di cuenta de algo clave: "todo es parte del trayecto." El tiempo de comunión con los hermanos empezó cuando llegaron los primeros esa mañana, siguió en el viaje, y se desarrolló más en la playa. *Todo* fue parte del trayecto. Y yo no estuve en control de ninguna parte. Dios sí.

Había tratado de tomar varias cosas en mis propias manos y ejecutar mis propios planes para el día. Y fracasé de gran manera.

Dejar el control en la mano derecha de Dios

 Puede que no tengas problemas con el control tan graves como los míos. La pregunta para ti es: ¿Cuál de los siguientes ejemplos te impide más al dejar que Dios sea la autoridad en tu vida?

- Problemas con el control
- El orgullo
- La impaciencia
- La confianza
- Otro: _____

¿Por qué es tan difícil confiar en el poder y la autoridad de Dios? ¿Por qué nos cuesta dejar el control a Dios?

No hay respuesta correcta o incorrecta a las preguntas anteriores, pero para mí, personalmente, mis respuestas se resumen en dos palabras, "la sumisión" y "el temor."

¿A quién temeré?

Vamos a cerrar el estudio de este capítulo con una mirada a la respuesta de David a esa misma pregunta en Salmo 27.

 ¿Por qué dice David que no tiene qué temer?

Como un eco de Éxodo 14:14, escribe Salmo 27:14 abajo.

La mano derecha de Dios está en control. Es viva y activa hoy. Podemos confiar en él para que presente batalla a favor nuestro con el mismo poder y autoridad que ha demostrado a lo largo de los años. Nuestro trabajo: esperar, quedarnos quietas, y dejar el control en su capaz mano derecha.

"Los que dejan todo en la mano de Dios eventualmente verán la mano de Dios en todo." ~ Anónimo

---

Elementos comunes:

 Una manera en la que quieras crecer o florecer.

Una espina que desees eliminar.

_____

_____

Un área en la que quieras profundizar o en la que necesites a alguien como afiladora en tu vida.

_____

_____

Un mensaje de esperanza, una palabra animadora, o un versículo bíblico.

_____

_____

CAPÍTULO 4

Una fuente de fuerza

¿Tiene tu familia una película favorita que puede citar de principio a fin? Para mi familia, es *La novia princesa*, una película del año 1987, basada en una novela del 1973. El sentido de humor, el diálogo sarcástico, y las respuestas ingenuas son una fuente de muchas citas fáciles de incorporar en el hablar diario. Si me permiten, voy a compartir algunas de esas citas antes de usar una escena para ilustrar un punto.

La cita que hizo que mi mamá llorara de risa la primera vez que vio la película: "No lo molestes. Ha tenido un día agotador." (En referencia a Westley después de haber estado al borde de la muerte.)

También de la película, la lista de quehaceres y nuestra respuesta cuando nos sentimos abrumados o cansados: "Tyrone, sabes cuánto me gusta mirarte trabajar, pero tengo que planear el 500° aniversario de mi país, preparar mi boda, asesinar a mi esposa, y echarle la culpa a Guilder, así que estoy abrumado." La respuesta: "Que descanses. Sin tu salud, no tienes nada."

Y el saludo de noche que hace que otros se sientan incómodos si no saben que estamos citando una película: "Descansa y sueña con mujeres grandes." (Lo que Westley le dice al gigante después de dejarle inconsciente.)

Recomiendo este cuento de hadas con una perspectiva única. En una escena, el español, Íñigo Montoya, reta a Westley, vestido como el hombre de negro, a una pelea de espadas. Los dos toman sus espadas con sus manos izquierdas y maniobran sobre el terreno montañoso. Después de unos minutos de pelea, cuando Westley le empieza a ganar a Montoya, le pregunta al oponente, "¿Y por qué sonríe?"

"Porque no soy zurdo," es la respuesta sencilla. Montoya blande su espada y ataca con mayor fuerza y habilidad con la mano derecha.

¿Sonríes por la fuerza secreta que tienes a *tu* mano derecha? No hago referencia a la fuerza física. Tal como Dios fortaleció la mano derecha de Moisés al dividir las aguas para que pasara su gente, (Isa. 63:12; Ex. 14), Dios extiende la misma promesa a sus hijos hoy.

Vimos en Isaías 41 cómo Dios toma nuestra mano derecha en su diestra. Más allá del consuelo que recibí en la mano derecha de Dios, contado en la historia que compartí en el capítulo 2, hay muchos otros beneficios que recibimos cuando la diestra de Dios se encuentra con la nuestra.

 ¿Cuál es la conexión entre nuestra mano derecha y la de Dios en Salmo 16:8-11?

 ¿Cómo te anima el Salmo 16?

 ¿De qué forma te fortalece el Salmo 121 para enfrentar tus temores?

Según una metáfora hebrea, la sombra que da la mano derecha de Dios representa protección como una sombra en el desierto caluroso.

¿Qué tienen la protección y la fuerza en común?

El poder y la protección de la mano derecha de Dios pueden fortalecer nuestra mano derecha. Estar en el equipo con Dios es tener la mejor mano derecha.

Salmo 73:23-26 declara esa verdad de una manera bellísima:

Pero yo siempre estoy contigo,
pues tú me sostienes de la mano derecha.
Me guías con tu consejo,
y más tarde me acogerás en gloria.
¿A quién tengo en el cielo sino a ti?
Si estoy contigo, ya nada quiero en la tierra.
Podrán desfallecer mi cuerpo y mi espíritu,
pero Dios fortalece mi corazón;
él es mi herencia eterna.

Hay fuerza al saber que no tenemos que hacer nada a solas. Podemos caminar de la mano con el que provee la fuerza absoluta.

"Toma mi mano, Tía M"

Recién salimos de viaje en el carro e íbamos a estar manejando toda la noche de regreso a Denver, Colorado. Habíamos pasado el fin de semana visitando a mi abuelo, en su granja en el estado de Iowa. Yo estaba sentada atrás con mi sobrino, Kadesh, que estaba por cumplir los dos años.

Kadesh Austin fue nombrado por su bisabuelo Dean Austin, y resulta que tienen más que sólo el nombre en común.

Al empezar el viaje, saqué mi iPad para escribir un poco, pero Kadesh tenía otra idea. Quiso tomarme de la mano para poder quedarse dormido. "Toma mi mano, Tía M." Y, ¿quién soy yo para discutir con él por eso? Cerré el iPad y tomé el tiempo para tomarle de la mano.

Miramos las estrellas, nos maravillamos de la luna llena, y señalamos los carros que nos iban pasando. En muy poco tiempo, se quedó dormido y volví a mi tarea de escribir, contenta de haber tomado su mano y disfrutado del amor mutuo y la relación entre nosotros.

Me recordó un momento similar, sentados en el sofá con mi abuelo ese mismo fin de semana. Tenía a una nieta a cada lado y, sentados allí, nos tomamos de la mano. Nos tomamos de la mano antes de comer. Nos tomamos de la mano para ayudarle a pararse del sofá. Pasamos muchos momentos especiales y fortalecimos el vínculo como familia al tomarnos de la mano.

Te animo hoy a tomar la mano de alguien — un niño, un abuelo, tu pareja, una amiga… Hay muchos que apreciarían ese toque amoroso, y serás bendecida al hacerlo.

Dios nos invita a apartar un momento y tomarle de la mano todos los días. Durante tu tiempo de oración hoy, imagínate tomada de la mano de Dios al hablar con él y escucharle en oración. Imagínate en su mano derecha.

Descanso en la mano derecha de Dios

Descansar fue un poderoso ejercicio para mí después de volver a los EE.UU., luego de vivir cuatro años como misionera en Venezuela. Estaba pasando por un intenso choque cultural y por fin había tomado un tiempo para desconectarme de las ocupaciones de la vida para orar, descansar, caminar, y hasta hablar con un consejero para procesar mi regreso a los EE.UU.

Durante ese fin de semana largo, pasé por el duelo, lamentando la distancia física entre mis amigos venezolanos y yo, entre otras cosas que había dejado. Después de conversar con el consejero una tarde, comprendí la intensidad de mis emociones y el sentido de pérdida. Sabía que tenía que soltar muchas cosas que sostenía de mi tiempo en Venezuela si iba a poder proseguir en la nueva dirección en la cual Dios me estaba guiando.

Después de un tiempo en oración, con muchas lágrimas, me imaginé sentada en las piernas de Dios — sacando mi dolor con cada lágrima, sostenida, y atesorada por su abrazo. Es como su mano derecha estuviera acariciando mi cabello.

Cobré fuerza por su mano y me bañó con la paz de su presencia. Casi pude escuchar su voz susurrando palabras de consolación y de promesa en mi oído al pasar mi cabello detrás de mi oreja con su mano derecha. Me dormí esa noche, descansando en su presencia — con un sentido de paz que atesoro hasta el día de hoy.

"En mi lecho me acuerdo de ti; pienso en ti toda la noche. A la sombra de tus alas cantaré, porque tú eres mi ayuda. Mi alma se aferra a ti; tu mano derecha me sostiene" (Salmo 63:6-8).

Cobré fuerza sostenida por la mano derecha de Dios.

Sostenida en la mano derecha de Dios

Sostener significa mantener firme o sujetar una cosa; defender una proposición, idea u opinión; prestar apoyo; dar aliento o auxilio; o hacer algo de forma continua.

¿Cuál de estas definiciones describe la manera en que quieres que la mano derecha de Dios te sostenga? ¿Y por qué escogiste esa descripción sobre las otras?

¿Cuándo empieza Dios a sostenernos? ¿Y cuándo deja de sostenernos? Veamos Isaías 46:3-4 para las respuestas.

Volvamos a los salmos para enfatizar el alcance de la mano derecha de Dios para "sostenerme" (Sal. 139:10b).

Busca el Salmo 139 y lee todo el salmo.

La primera parte del versículo 10 del Salmo 139 hace referencia a la mano derecha de Dios para guiarnos. Y vamos a explorar ese aspecto de su mano derecha en el capítulo 5, pero ¿qué otros recuerdos se encuentran en Salmo 139, que sirven como una fuente de fuerza para ti?

 ¿Te consuela o te asusta saber que Dios te conoce íntimamente? ¿Por qué?

Las afirmaciones de que no podemos ir a ninguna parte para escapar de su presencia (Sal. 139) ni su amor (Rom. 8:35-39) nos confirman la fuerza de la mano derecha de Dios para sostenernos, dado que el opuesto del verbo sostener es abandonar o dejar solo.

¿Temes el abandono? Satanás nos quiere convencer de que estamos solas en nuestros temores y sentimientos, pero David, un hombre con un corazón conforme al de Dios, también luchó con ese temor a veces. En el Salmo 142:4, David clama a Dios sintiéndose solo, sin nadie a su mano derecha. Se siente abandonado y olvidado.

 En contraste a los temores de David, ¿qué imagen descriptiva vemos en Salmo 18:1-3 y 30-36?

 ¿Cuál imagen te ayuda más a recordar que Dios es nuestra fuente de fuerza?

Fortalecida en la mano derecha de Dios

Muchos creen que tengo buena memoria. No es verdad. Anoto todo. Pongo recordatorios en mi teléfono, y organizo las cosas para saber dónde encontrar lo que ni recordaba al principio.

Afortunadamente, la vida no depende la memoria de uno solo. Dios nos da su Palabra para recordar sus promesas. Dios nos da su iglesia para poder animarnos los unos a los otros y recordarnos la verdad cuando nuestros temores nos abruman. Además, nos fortalece la mano derecha de Dios cuando nosotras nos tomamos de la mano.

Salomón comparte varias ventajas de hacer cosas juntas, en Eclesiastés 4:9-12. Nombra dos de esas ventajas.

Hay una fuerza que se encuentra en el cuerpo entero que no se encuentra en un solo miembro (1 Cor. 12:12-27). Cada una de ustedes tiene un lugar vital en el cuerpo y no hay ninguna que valga más que otra.

Nuestros hermanos y hermanas en Cristo nos fortalecen, pero nunca nos olvidemos la fuente principal de fuerza cuando nos sentimos débiles.

En 1 Pedro 3:7, Pedro describe a las mujeres como más frágiles. Sin embargo, en la vida moderna, se espera que las mujeres sean empresarias independientes o una mujer maravilla enseñando a sus hijos en la casa. El doble-estándar nos agota y nos hace evitar cualquier apariencia de debilidad. Tenemos miedo por causa de nuestras debilidades — o por lo menos yo soy así.

 Cuando estamos débiles, nos sentimos sin la fuerza para seguir. ¿Cómo te sientes cuando estás débil?

 ¿Te has sentido fuerte cuando estás débil? ¿De qué manera o por qué no?

¿Cómo puede Pablo decir que cuando está débil, entonces es fuerte? (Fíjate en 2 Corintios 12:7-10.)

La declaración de Pablo parece al revés y contra-intuitivo. Y sí, las maneras de Dios pueden parecer contradictorias. "Pues la locura de Dios es más sabia que la sabiduría humana, y la debilidad de Dios es más fuerte que la fuerza humana" (1 Cor. 1:25).

¿Y la mejor parte? ¡Tenemos acceso a esa fuerza!

Puedes citarlo o buscarlo, pero escribe Filipenses 4:13 abajo y subraya la fuente de nuestra fuerza.

Finalmente, es la fuerza de Dios sin límite que nos renueva en su mano derecha.

Mira cómo Isaías 40:28-31 describe esa fuerza:

¿Acaso no lo sabes?
¿Acaso no te has enterado?
El Señor es el Dios eterno,
creador de los confines de la tierra.
No se cansa ni se fatiga,
y su inteligencia es insondable.
Él fortalece al cansado
y acrecienta las fuerzas del débil.
Aun los jóvenes se cansan, se fatigan,
y los muchachos tropiezan y caen;
pero los que confían en él

renovarán sus fuerzas;
volarán como las águilas:
correrán y no se fatigarán,
caminarán y no se cansarán.

Anhelamos ser levantadas cuando estamos decaídas, fortalecidas cuando estamos débiles, consoladas cuando estamos heridas. La mano derecha de Dios es la fuente principal de esa fuerza. Al ver los Elementos comunes, reflexiona sobre la manera en que Dios puede convertir una de tus espinas — una debilidad — en una fuerza.

De la misma manera que Bernabé, hijo de consolación, y Pablo recibieron la mano derecha de comunión de parte de Jacobo, Pedro, y Juan (Gal. 2:9), espero que tú y tus Hermanas Rosa de Hierro reciban la mano derecha de comunión las unas con las otras también.

Elementos comunes:

 Una manera en la que quieras crecer o florecer.

Una espina que desees eliminar.

Un área en la que quieras profundizar o en la que necesites a alguien como afiladora en tu vida.

_____

_____

Un mensaje de esperanza, una palabra animadora, o un versículo bíblico.

_____

_____

CAPÍTULO 5

Un estándar de justicia

Me encanta observar a la gente. Es uno de mis pasatiempos favoritos. Los aeropuertos son un buen lugar para observar las interacciones entre varias personas: la primera vez que la abuela conoce al nuevo bebé, el soldado que vuelve a casa de la guerra y recibe la bienvenida de su familia, una despedida con mucho llanto, la profesional que quiere quitarse los tacones tan pronto llegue a casa...

La playa es otro lugar entretenido para mirar a las personas. No hago referencia a las jovencitas con su bikini ni a los hombres musculosos. Prefiero observar una familia joven. Anhelo encontrar a un niño que brinca para tratar de alcanzar las huellas que deja su papá en la arena. Quiere llegar a la estatura de su papá. Su deseo de ser "un niño grande" y el poder del ejemplo que le deja su papá, se vive en el simple salto de una huella a la siguiente.

El papá dejó su marca y aunque lleve años para que el niñito llegue a su meta, ya se ha establecido el estándar.

Un estándar es algo por el que se miden otras cosas. Como mujeres, fácilmente caemos en la trampa de la comparación y sentimos que no damos la talla. Cuando vemos la enseñanza sobre la justicia de Dios, puede que nos sentamos más abrumadas por los estándares establecidos.

El carácter que significa "justicia" en chino, está compuesto por dos caracteres distintos: uno que representa "un cordero," y el otro "yo." Cuando se pone "cordero" encima del "yo," se forma un carácter nuevo — "la justicia."

¡Qué representación tan elegante de nuestra justicia ante el Padre!

"Al día siguiente Juan vio a Jesús que se acercaba a él, y dijo: «¡Aquí tienen al Cordero de Dios, que quita el pecado del mundo!" (Juan 1:29)

"Al que no cometió pecado alguno, por nosotros Dios lo trató como pecador, para que en él recibiéramos la justicia de Dios" (2 Cor. 5:21).

¿Cómo se define la justicia?

En breve, vamos a considerar la justicia como ser hecha justa en los ojos de Dios, y una vida bien llevada después de haber sido justificadas.

"¿Qué concluiremos? ¿Vamos a persistir en el pecado, para que la gracia abunde? ¡De ninguna manera!" (Rom. 6:1). Después de la tremenda bendición de la justificación de Dios, nuestra respuesta debe ser una de gratitud humilde. Nuestra obediencia es un producto de nuestro agradecimiento. Además, es una señal de sumisión a la autoridad de la mano derecha de Dios.

¿Con qué está llena la mano derecha de Dios? (Sal. 48:10)

Mi temor de la justicia en la mano derecha de Dios

Cuando estaba estudiando la Biblia para entender cómo ser cristiana, mi mayor impedimento fue mi temor de no dar la talla. Entendí demasiado bien el estándar de justicia. Crecí en un hogar cristiano, y por lo tanto, las enseñanzas de las Escrituras y el llamado a la obediencia fueron bien claros. Yo, la hija mayor con una personalidad que quería complacer a todos, trabajaba arduamente para ganar la aprobación de mis padres. Así funciona con Dios también, ¿verdad? ¿No tenía yo que merecer y ganar mi salvación — ser un ejemplo perfecto para otros?

Mi hermana, Jennifer, tres años menor que yo, también estaba estudiando la Biblia en ese tiempo. Las dos estábamos estudiando para bautizarnos y sobre lo que significaba ser una cristiana fiel.

Un miércoles por la tarde, antes de la reunión con la iglesia, mi hermana se acercó a mis padres y les dijo que estaba lista para bautizarse. Escuché su conversación desde otra parte de la casa y me sorprendió. Frustrada, enojada, confundida... quizás esas palabras describen mejor mi reacción que sólo sorprendida.

Yo soy la hermana mayor. Yo tengo más versículos de la Biblia memorizados que ella. Yo era más obediente — la mejor hija (sí, el orgullo estaba entre mi lista de fallas). Yo con trece años, no entendía lo que mi hermanita de diez años sí.

Y de repente, me di cuenta. No se trataba de lo que ella sabía o lo que hacía. No se trataba de lo que yo sabía ni hacía. Se trataba de lo que Dios hizo al sacrificar a su Hijo para perdonar nuestros pecados — nada que pudiéramos merecer, sino un regalo — por gracia.

"Porque por gracia ustedes han sido salvados mediante la fe; esto no procede de ustedes, sino que es el regalo de Dios, no por obras, para que nadie se jacte" (Ef. 2:8-9).

Esa noche, la decisión de mi hermana fue mi despertar — se me abrieron los ojos al significado de la gracia. Entonces, luego de unas pocas horas, después del servicio ese miércoles por la noche, el 20 de marzo, 1991, mi papá bautizó a mí, y luego a mi hermana para el perdón de nuestros pecados y para recibir el don del Espíritu Santo (Hech. 2:38).

Desde mi perspectiva limitada, estaba enfocada en un temor de la justicia en la mano derecha de Dios. Todavía no había probado las promesas y las bendiciones que vienen de su "diestra victoriosa" en Isaías 41:10, y otras características que hemos estudiado hasta este momento.

Se me olvidó que no fueron los hechos justos de Abraham, sino su fe, que le fue contada como justicia (Gen. 15:6; Rom. 4:22). Caí en la misma trampa que los israelitas.

 ¿Cuál fue esa trampa según Romanos 10:3?

Debemos someternos a la justicia de Dios *y* su guía.

La enseñanza guiada en la mano derecha de Dios

Crecí en la cocina. Las cuatro hijas crecimos así. Y hasta el sol de hoy, a las cuatro nos gusta cocinar. Como bebé, entre los juguetes favoritos de mi sobrino fueron una olla y una cuchara. Cuando ya estaba un poco más grande, una olla vacía le fue insuficiente. Quería tocarlo todo y cocinar con nosotros.

Gracias a Dios, el cocinar me fue modelado de tal manera que aprendimos con la mano de mi mamá guiando a la nuestra. Y por lo tanto, he podido pasar esos talentos a otros. Cómo nuestros padres nos guían es muy importante en toda etapa de la vida. Y me acuerdo claramente de mi manito derecha, envuelta en la mano más grande de mi mamá, al tomar la batidora para hacer los panes o las galletas.

Su mano izquierda sostenía el tazón y su mano derecha guiaba a la mía. No había ninguna garantía de que no iba a echar a perder todo, pero sabía que no estaba sola.

Dios toma nuestra mano derecha y nos guía durante el proceso de aprendizaje de la vida, así como hace un padre amoroso. Y si echamos a perder todas las cosas, está allí mismo con nosotros para poner orden, si volvemos a él y le pedimos ayuda.

Soy una persona muy independiente. Me gusta pensar que sé lo que estoy haciendo y ser una persona capacitada y clara en la dirección que debo tomar. Pero cuando rechazo la dirección de Dios en su mano derecha, pago un alto precio. Recibo la disciplina por amor y sufro las consecuencias de mis acciones, palabras, y decisiones.

Guiada a justicia por la disciplina

"Esto me duele más a mí que a ti." Nunca comprendí por qué mi papá decía eso antes de disciplinarnos como niñas. La disciplina no es nada divertida para el dador ni para el que la recibe. Pero, con el tiempo, empecé a comprender un poco más la perspectiva del que da la disciplina.

Hasta he tenido sueños en los cuales se paraliza mi brazo y físicamente estoy incapacitada para darle un azote a mi sobrino o a otro que necesita un recordatorio físico de las consecuencias de la desobediencia. (Puede que el sueño fuese prematuro dado que mi sobrino está de una edad que responde a otras formas de disciplina.) Sin embargo, el sueño fue una manifestación de mi vacilación dado el disgusto que siento por la disciplina.

¿Qué dice Hebreos 12:4-11 de la disciplina?

¿Qué fruto o cosecha produce la disciplina?

 ¿Por qué nos disciplina Dios?

 ¿Por qué se requiere la disciplina?

La disciplina es una consecuencia directa de la desobediencia. Y la obediencia es una consecuencia directa del amor.

Lee Juan 14:23-27. ¿Qué se promete a los que aman a Cristo y obedecen sus palabras?

¿Nos deja solas para entender lo que debemos obedecer? ¿Quién nos guía?

¿Cómo nos guía?

 ¿De qué nos sirve la dirección si no la seguimos?

 Evitamos la guía y la enseñanza de Dios no porque no le creemos sino porque sí le creemos. ¿Estás de acuerdo con esta frase? ¿Por qué sí o por qué no?

Perdidas y confundidas, rechazamos la mano derecha de Dios que nos disciplina y evitamos su mano que nos guía (Sal. 139:10) aunque es precisamente lo que necesitamos.

Guiadas en caminos de justicia

"Y [los mandamientos] no son difíciles de cumplir," (1 Juan 5:3). Al contrario, los mandamientos son diseñados para protegernos y guiarnos en caminos de justicia.

 ¿Cuál es la imagen que describe la guía de Dios en Salmo 23?

¿A dónde nos guía (Sal. 23:3)?

Según el Salmo 23, ¿cuál es el propósito de Dios al guiarnos?

 ¿Por qué resistimos ser guiadas en el camino de la justicia?

El camino de justicia puede dar temor si no confiamos en Dios, cuya mano tomamos. Pensamos que es mejor quedarnos "seguras," cómodas, o estancadas, que abrazar al que es bueno y cuyo estándar es la justicia. Como Padre amoroso, quiere lo mejor para con nosotras. Y como nuestro Creador, verdaderamente *sabe* lo que es lo mejor, lo bueno, y lo justo para su creación. Entonces, ¿por qué le tememos a él y a sus caminos?

El autor C.S. Lewis describe los sentimientos de temor que tenemos cuando nos enfrentamos con el Rey, en una alegoría de la serie de siete libros, *Las crónicas de Narnia*. En *El león, la bruja, y el ropero*, Dios se compara con el león, Aslan, que los señores Castor describen a Susan y Lucy, de este modo:

"Entenderás cuando lo ves."

"¿Pero lo veremos?"

"Pues, hija de Eva, es por esa razón que les he traído aquí. Les voy a guiar a donde lo van a conocer," dijo Señor Castor.

"¿Es — es un hombre?" preguntó Lucy.

"¿Aslan un hombre?" dijo Señor Castor bruscamente. "Por supuesto que no. Te cuento que es el Rey del bosque y el hijo del gran Emperador más allá del mar. ¿No sabes quién es el Rey de toda bestia? Aslan es un león — el León, el gran León."

"¡Ooh!" dijo Susan, "pensé que era un hombre. ¿Y él es — seguro? Me pone nerviosa conocer un león."

"Y así te sentirás, querida, sin equivocación," dijo Señora Castor; "si hubiera alguien que puede presentarse delante de Aslan sin que le tiemblen las rodillas, son o más valiente que otros o tontos."

"Entonces, no es seguro?" dijo Lucy.

"¿Seguro?" dijo Señor Castor; "no oíste lo que Señora Castor te dice? ¿Quién dijo algo de seguro? Claro que no es seguro. Pero es bueno. Es el Rey, te digo."

 ¿Cuál es la diferencia entre algo seguro y bueno?

 ¿Cuál característica es más importante para el Rey de reyes? ¿Por qué?

 ¿Por qué es importante que Dios sea bueno?

Usa los siguientes versículos para responder a la pregunta: ¿Cómo puede Dios guiarnos en sus caminos buenos y justos?

Romanos 12:2

Colosenses 1:9

"Más bien, busquen primeramente el reino de Dios y su justicia, y todas estas cosas les serán añadidas" (Mat. 6:33).

Según Romanos 14:17-18 y 1 Timoteo 6:11, ¿cuáles son las cosas más importantes?

 Anota cuatro maneras en las cuales podemos poner esas mismas cosas importantes en práctica esta semana.

¿Cómo describe Romanos 8:9-17 la vida de justicia?

¿Cuál es el contraste de ser un esclavo al temor en Romanos 8:15-17?

¡Como hijas de Dios y coherederas con Cristo, estamos entre los justos que pueden proclamar la victoria! (Ve Salmo 118:15-19 abajo.)

Gritos de júbilo y victoria
resuenan en las casas de los justos:
«¡La diestra del Señor realiza proezas!
¡La diestra del Señor es exaltada!
¡La diestra del Señor realiza proezas!»
No he de morir; he de vivir
para proclamar las maravillas del Señor.
El Señor me ha castigado con dureza,
pero no me ha entregado a la muerte.
Ábranme las puertas de la justicia
para que entre yo a dar gracias al Señor.

Podemos entrar por las puertas de justicia con confianza, libres de temor, limpiadas de una consciencia culpable por el sacrificio de Cristo, hecho una vez y para siempre.

Lee Hebreos 10:19-25 como afirmación de esa confianza, una actividad final para este capítulo, y una transición adecuada al último capítulo, "Donde se sienta Jesús para interceder."

Antes de cerrar, vamos a poner los versículos 23-25 en práctica con los Elementos comunes.

Elementos comunes:

 Una manera en la que quieras crecer o florecer.

Una espina que desees eliminar.

_____

_____

Un área en la que quieras profundizar o en la que necesites a alguien como afiladora en tu vida.

_____

_____

Un mensaje de esperanza, una palabra animadora, o un versículo bíblico.

_____

_____

CAPÍTULO 6

Donde Jesús se sienta para interceder

Según Jim Rohn, un conferencista inspirador, nosotros somos la suma de las cinco personas con las cuales pasamos más tiempo. Haz una lista de las cinco personas con quienes pasas más tiempo. Puedes incluir tu pareja, tus hijos, compañeros de trabajo, compañeras de casa, amigos...

 ¿Estás de acuerdo que eres la suma de esas personas — para bien o para mal? ¿Por qué sí o por qué no?

Las personas con las cuales pasamos más tiempo influyen grandemente en cómo vivimos la vida, tomamos decisiones, hablamos, actuamos, y reaccionamos. Son los primeros que llamamos o a quienes mandamos un mensaje de texto con buenas nuevas. Y son con quienes contamos cuando pasamos por momentos difíciles.

Se revela más esa influencia, en cuanto a quiénes escogemos tener a nuestra mano derecha. Es un lugar de honor en nuestras vidas que viene con gran responsabilidad.

Nombra las dos personas que más han influido en tu vida — positivamente o negativamente.

Podemos elegir a quiénes permitimos estar a nuestra mano derecha y a quién damos el poder.

¿Quién está a la mano derecha de Josué en Zacarías 3:1, y qué está haciendo?

 ¿Has sentido la presencia de Satanás a tu diestra para acusarte de toda cosa que haces? ¿Qué podemos hacer al respecto?

Jesús intercede a la diestra de Dios

Entre las muchas palabras de esperanza que Pedro da al grupo presente en el Día de Pentecostés, ¿Cuál promesa de David cita Pedro en Hechos 2:25?

Entonces, si Satanás está a nuestra mano derecha para acusarnos, pero Jesús también está allí a nuestra mano derecha, ¿cómo va a terminar esa batalla cada vez que ellos se enfrentan?

En Hechos 2:34, Pedro menciona la profecía que se encuentra en Salmo 110:1 y describe el fin de esa batalla. (Esta misma profecía se repite en Mateo 22:44, Marcos 12:36, y Lucas 20:42.)

Así dijo el Señor a mi Señor:
«Siéntate a mi derecha
hasta que ponga a tus enemigos
por estrado de tus pies.»

Entonces, ¿dónde está Jesús ahora (Hechos 2:33-34)?

 ¿Para ti, qué significa poner a los enemigos por estrado de sus pies?

Jesús es el cumplimiento y la encarnación de todas las promesas y las bendiciones en la mano derecha de Dios. Es la personificación de cada una de las facetas de la mano derecha de Dios que se han explorado hasta este punto.

Como la figura central de toda la historia de la Biblia, es acertado que Jesús sea la figura central de la mano derecha de Dios. Por lo tanto, en este capítulo final, vamos a volver a descubrir a Jesús como la manifestación de las cinco descripciones de la mano derecha de Dios que hemos investigado hasta este momento.

Un lugar de honor y bendición — Sentado a la diestra de Dios

De la misma manera que los hijos de José fueron bendecidos por su abuelo, Jacob, a su mano derecha, con un lugar de honor en la familia, Jesús se sienta a la mano derecha de Dios (Mat. 26:64; Mar. 14:62, 16:19; Luc. 22;69) — el supremo lugar de honor — donde nosotros también recibimos bendición (Ef. 2:6).

¿Podemos sentarnos en un lugar de honor y bendición sin Cristo?

Llena el blanco abajo usando Juan 1:12-13 y Gálatas 3:26-27 como inspiración.

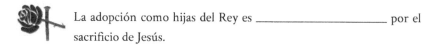 La adopción como hijas del Rey es _____ por el sacrificio de Jesús.

¿Qué más se resalta en esos versículos de Juan y Gálatas?

Jesús, la promesa de protección y salvación

Puede que la oscuridad le dé miedo a una niña o que ella tema al monstruo debajo de la cama. Y cuando tiene temor, busca a sus padres para sentir amor, consuelo y protección. La seguridad que encuentra en sus brazos es la misma seguridad que anhelamos y sólo podemos recibir en los brazos de nuestro Padre celestial que nos ama mucho.

¿Qué protección ofrece Jesús a las mujeres hoy en día? ¿Cómo te ayuda Jesús a enfrentar tus temores más fuertes?

¿De qué otra cosa específica necesitamos la protección y salvación de Jesús (Rom. 3:10, 23, y 6:23)?

 Basado en Romanos 8:34, ¿De qué nos protege Jesús?

Escribe Romanos 8:1 abajo como un eco de ese mismo sentimiento.

Sólo el sacrificio perfecto de Jesús hace posible la protección verdadera y la salvación (Heb. 1:3, 10:12, 12:2). En cada uno de los versículos antes mencionados, vemos que después de que Jesús terminó su trabajo, se sentó a la diestra de Dios. No se sentó sin antes finalizar su trabajo. Hizo posible nuestra unión con él en la mano derecha de Dios y luego se sentó a descansar y a extender la invitación.

Jesús ejercita poder y autoridad

En el Antiguo Testamento, Dios nos manifiesta su autoridad al crear los cielos y conquistar a los enemigos, y demuestra poder victorioso. Y en el Nuevo Testamento, vemos expresiones adicionales de poder y autoridad. ¿Sobre cuáles cosas tiene Jesús autoridad en las siguientes historias?

Mateo 9:1-8

Marcos 4:35-41

Lucas 4:31-37

Juan 9:1-12

Juan 11:17-44

¡Jesús tenía poder y autoridad sobre la naturaleza, los demonios, y hasta la muerte!

 ¿Cómo ejercita ese poder y autoridad hoy?

 ¿Qué hizo Jesús justo antes de ascender a los cielos con la autoridad que le fue dada (Mat. 28:18-20)?

Un ejemplo y una fuente de fuerza

La iglesia primitiva, cuya historia tenemos en el libro de Hechos, y la iglesia de hoy, han sido llamadas a mantener a Cristo como la cabeza de su cuerpo (Ef. 1:18-23, 4:15). Sin embargo, la autoridad bajo la cual la iglesia funciona es el amor, bajo el cual somos protegidos y fortalecidos (Ef. 5:23-32).

Vemos ejemplos a lo largo del libro de Hechos en los cuales los seguidores "del Camino" (Hech. 9:2), mantienen los ojos puestos en Jesús, la cabeza de la iglesia *y* de sus vidas individuales, como su fuente de fuerza. Por ejemplo, Hechos 7 cuenta la historia de Esteban cuando habló ante el Consejo. Los versículos 51 al 53 nos dan un resumen de su sermón, y luego vemos lo que le pasa. Lee Hechos 7:51-60.

¿Qué vio Esteban cuando miró a los cielos?

 ¿De qué fuerza dependió Esteban?

 ¿Y cuáles eran las fuentes de fuerza para Jesús en el jardín de Getsemaní (Mat. 26:36-46)?

Así como Jesús no podía enfrentar ese tiempo tan difícil solo, nosotros podemos seguir su ejemplo de mirar al Padre, orar, buscar el apoyo de los amigos, y depender del Espíritu Santo (Hech. 2:33). El mismo ejemplo de Cristo es una fuente de fuerza (Fil. 4:13).

En Jesús, somos la justicia de Dios

Por el compromiso de Cristo, al cumplir la voluntad de su Padre como sacrificio perfecto, "Al que no cometió pecado alguno, por nosotros Dios lo trató como pecador, para que en él recibiéramos la justicia de Dios" (2 Cor. 5:21).

Dado que Jesús nos ha provisto el camino (Juan 14:6), ¿qué significan los versículos en Hechos 5:31-32 y Colosenses 3:1 sobre nuestra responsabilidad de vivir una vida justa?

¿Cuál es la motivación principal de Cristo, y la de nosotros, para obedecer? (Juan 15:9-17)

Protección del temor en Cristo

Juan, conocido como el apóstol que Jesús amaba, pintó varias imágenes del amor de Dios en el evangelio de Juan y en su primera carta. Él describe el amor perfecto en 1 Juan 4:7-20. ¿Y cómo sabemos qué es el amor perfecto? ¡Porque Dios es amor! (1 Juan 4:8, 16)

Lee 1 Juan 4:13-18. ¿Qué hace el amor perfecto y cómo lo hace?

Si moramos en el amor de Dios, ¿a quién temeremos?

"El temor te puede mantener despierto toda la noche, pero la fe hace buena almohada" ~ autor desconocido (ref. Mat. 21:21-22).

Reflexionando sobre la mano derecha de Dios

 ¿Cuál faceta de la mano derecha de Dios te anima más en este momento de tu vida? ¿Por qué esa característica?

_____ Un lugar de honor y bendición
_____ Una promesa de protección y salvación
_____ Una demostración de poder y autoridad
_____ Una fuente de fuerza
_____ Un estándar de justicia
_____ Donde Jesús se sienta para interceder

¿Cuál faceta de la mano derecha de Dios te recuerda que no tienes por qué temer? ¿Por qué esa característica?

¿De qué te ha servido ese recordatorio de la descripción del carácter de Dios para modelar y profundizar tu relación con él?

Sentado a la diestra de Dios, Jesús se sienta en el lugar de honor para interceder por nosotros. Sin él, no hay promesa de protección ni salvación. Cuando permitimos que Jesús demuestre su poder y autoridad en la iglesia y en nuestras vidas individuales, dependemos de él como nuestra fuente de fuerza y un ejemplo de cómo podemos vivir una vida justa. ¿Y la mejor parte? En Cristo, somos hechas la justicia de Dios (2 Cor. 5:21) y ya no tenemos nada que temer por el amor perfecto del Padre.

Elementos comunes:

Una manera en la que quieras crecer o florecer.

_____

_____

Una espina que desees eliminar.

_____

_____

Un área en la que quieras profundizar o en la que necesites a alguien como afiladora en tu vida.

_____

_____

Un mensaje de esperanza, una palabra animadora, o un versículo bíblico.

_____

_____

Conclusión

Gracias por tomar la mano del Padre y la nuestra, en el proceso de conocer a Dios más íntimamente a través de un estudio de su mano derecha.

Como hijas del Rey, sostenidas seguramente en su mano derecha, ¿a quién temeremos? ¡No temeremos a nada ni a nadie! Afirmado por una linda descripción de nuestro Padre celestial que trasciende los Antiguo y Nuevo Testamentos, la diestra de Dios es un lugar especial de honor donde él demuestra poder y autoridad, promete protección y salvación, y provee una fuente de fuerza. Además, la diestra justa de Dios es donde Jesús se sienta para interceder por nosotros.

Son verdades de las cuales podemos depender. Su mano derecha es donde podemos descansar, seguras en la protección que provee, libres de temor, y llenas de esperanza.

Me gustaría compartir con ustedes la canción que escribí en mi último año de la universidad. Es una invitación y una oración para tomarnos de la mano con Dios y las unas con las otras en el camino.

Tomemos la diestra de Dios

¿Piensas en mí y oras por mí
tal como yo hago por ti?
Separadas por tiempo y distancia,
es lo único que podemos hacer.

Coro:
Nuestras vidas están en la mano de Dios.
Él está en control.
Con tantas cosas alejándonos,
tomemos la diestra de Dios.

Dios es nuestro Padre común,
el vínculo es más que amistad.
Y por la sangre de Jesús,
la hermandad perdura.

Notas

_____

_____

_____

_____

_____

_____

_____

_____

_____

_____

_____

_____

_____

_____

_____

_____

_____

_____

_____

_____

_____

Sobre la autora

Durante la trayectoria de su ministerio, Michelle J. Goff ha escrito en inglés y en español muchos estudios bíblicos orientados para compartir en grupo. Dios ha guiado a Michelle a compartir estos recursos con más mujeres en todo el mundo a través del Ministerio Hermana Rosa de Hierro. Ella también seguirá aprovechando oportunidades para servir como expositora en seminarios, conferencias, y otros eventos para damas a lo largo de las Américas en inglés y en español. Si deseas programar un seminario en una iglesia cercana, por favor, contacta a Michelle por medio del correo electrónico hermanarosadehierro@gmail.com, o para mayor información, visita la página web: www.HermanaRosadeHierro.com

Vida personal

Michelle creció en Baton Rouge, Luisiana, con sus padres y tres hermanas menores. Su amor y dedicación para ayudar a las mujeres que encuentra en su camino empezó desde temprano con sus hermanas, aun cuando ellas pensaban que era muy mandona. Michelle y sus hermanas han madurado mucho desde su niñez, pero los lazos de hermandad permanecen. Michelle ha sido bendecida por el apoyo de su familia durante todas sus aventuras a lo largo de los años.

Michelle disfruta el tiempo con la familia, es aficionada de los Bravos de Atlanta y los Tigres de LSU. Le gusta tomar un café o té con sus amigas, ir al cine, viajar, y le gusta hablar español. Y adivinen cuál es su flor favorita… Sí. La rosa roja.

Actualmente, ella reside en Searcy, Arkansas, cerca de su familia.

Experiencia en el ministerio y educación

Michelle sintió primero el llamado al ministerio durante su último año de estudio en la Universidad de Harding mientras hacía una licenciatura en terapia del lenguaje y español. Tenía planes para unirse a un equipo con el objetivo de establecer una nueva congregación en el norte de Bogotá, Colombia. Para facilitar los planes de la nueva obra en Bogotá, ella se mudó a Atlanta, Georgia, después de graduarse en mayo de 1999. Aunque el plan para Bogotá, Colombia, no se logró, Michelle siguió con el sueño y fue parte del grupo que estableció una nueva obra allí en marzo del 2000.

Ella trabajó en el ministerio de misiones en la Iglesia de Cristo en North Atlanta por un año y medio antes de mudarse a Denver, Colorado, a trabajar con cuatro nuevas congregaciones — una habla-inglesa (Iglesia de Cristo en Highlands Ranch) y tres hispanohablantes. Durante los dos años y medio que vivió en Denver, Michelle siguió involucrada en Bogotá, Colombia, y en varias regiones de Venezuela, visitando nuevas congregaciones, enseñando clases, dirigiendo retiros de damas, enseñando y colaborando en campamentos de jóvenes, etc.

En marzo del 2003, Michelle se mudó a Caracas, Venezuela, a colaborar con una nueva congregación en el este de la ciudad. Cada tres meses para renovar su visa venezolana, visitaba Bogotá, Colombia, para también seguir colaborando con la congregación allí. Su tiempo en Caracas estuvo enfocado en la congregación del Este, pero también pudo participar en otras actividades de damas en otras regiones del país. Durante los cuatro años que Michelle estuvo en Caracas, la congregación que empezó con doce personas reunidas en su apartamento llegó a tener casi cien miembros. La Iglesia de Cristo en el Este ya celebró su decimosegundo aniversario y sigue creciendo.

En marzo del 2007, Michelle hizo una transición al ministerio en los Estados Unidos como ministra universitaria para las damas con la Iglesia de Cristo, South Baton Rouge. Ellos tienen un Centro Cristiano Estudiantil al lado del campus de la Universidad Estatal de Luisiana (LSU). Mientras Michelle acompañaba a los universitarios en su camino espiritual y servía en otros papeles con el ministerio de damas, Michelle cursó una maestría en LSU. Se graduó en diciembre del 2011, culminando su maestría en estudios hispanos con una concentración en la lingüística. Su tesis exploró la influencia de factores sociales y religiosos en la interpretación de las Escrituras.

Ahora Michelle está siguiendo el llamado de Dios al usar su experiencia en el ministerio bilingüe con mujeres de toda edad y distintos orígenes culturales, para bendecirlas con oportunidades de crecimiento y crear vínculos profundos espirituales con otras hermanas en Cristo, a través del Ministerio Hermana Rosa de Hierro.

Sobre el Ministerio Hermana Rosa de Hierro

E l Ministerio Hermana Rosa de Hierro es una entidad sin fines de lucro 501(c)(3) registrada en los EE.UU. con una junta directiva y en consulta con los ancianos de la Iglesia de Cristo Noroeste en Denver, Colorado.

Visión:

Equipar a las mujeres para que se conecten más profundamente con Dios y con otras hermanas en Cristo.

Iron Rose Sister Ministries

Ministerio Hermana Rosa de Hierro

www.HermanaRosadeHierro.com

Misión general:

Un ministerio que facilita mejores relaciones entre hermanas en Cristo para que puedan servir como hierro afilando a hierro, animándose e inspirándose a que sean tan bellas como rosas a pesar de unas espinas. Su meta es de proveer recursos bíblicos sencillos para ser guiados por cualquier persona y profundos para que todas crezcan.

Cada FACETA y base acerca de nuestra visión:

F – Fidelidad – a Dios sobre todo. *"Busquen primeramente el reino de Dios y su justicia, y todas estas cosas les serán añadidas."* (Mat. 6:33)

A – Autenticidad – No somos hipócritas, sólo humanos.

"...pero él me dijo: «Te basta con mi gracia, pues mi poder se perfecciona en la debilidad.» Por lo tanto, gustosamente haré más bien alarde de mis debilidades, para que permanezca sobre mí el poder de Cristo. Por eso me regocijo en debilidades, insultos, privaciones, persecuciones y dificultades que sufro por Cristo; porque cuando soy débil, entonces soy fuerte." (2 Cor. 12:9-10)

C – Comunidad – No fuimos creadas para tener una relación aislada con Dios. Él ha diseñado a la iglesia como un cuerpo con muchos miembros (1 Cor. 12). La cantidad de pasajes "los unos a los otros" en el Nuevo Testamento afirma ese diseño. Como mujeres, tenemos necesidades únicas en las relaciones, tras diferentes etapas de la vida — a veces, como Moisés, necesitamos los brazos levantados por otros en apoyo (Éx. 17:12) o en otras ocasiones, podemos regocijarnos con los que están alegres o llorar con los que lloran (Rom. 12:15). Los estudios Hermana Rosa de Hierro están diseñados para ser compartidos en comunidad.

E – Estudio – *"La palabra de Dios es viva y poderosa, y más cortante que cualquier espada de dos filos. Penetra hasta lo más profundo del alma y del espíritu, hasta la médula de los huesos, y juzga los pensamientos y las intenciones del corazón."* (Heb. 4:12)

Para poder obtener los beneficios y las bendiciones de la visión de la Hermana Rosa de Hierro, debemos consultar al Creador. A través de un mayor conocimiento de la Palabra, podemos florecer como rosas y quitar las espinas — discerniendo como el Espíritu nos guía, reconociendo la voz del Padre y siguiendo el ejemplo del Hijo. Se cumple con esas metas exitosamente en el contexto de la comunidad, así que proveemos recursos para el estudio bíblico en grupo, pero sin excluir el tiempo a solas con Dios, y por eso los recursos sirven para estudios bíblicos personales también.

T – Testimonio – Todas tenemos una "historia con Dios." Al reconocer su mano viva y activa en nuestras vidas, somos bendecidas al compartir ese mensaje de esperanza con otros (Juan 4:39-42). ¡Gracias a Dios, esa historia no ha terminado! Dios sigue trabajando en la transformación de vidas y anhelamos oír tus historias también.

A – Ánimo en oración y como afiladora – *"El hierro se afila con el hierro."* (Prov. 27:17) Dios no nos ha dejado solas en el camino. *"Confiésense unos a otros sus pecados, y oren unos por otros, para que sean sanados. La oración del justo es poderosa y eficaz."* (Sant. 5:16)

Es nuestra oración que cada mujer que se una en esta misión participe como Hermana Rosa de Hierro con otras damas.

Para más información, por favor:

Visita www.HermanaRosadeHierro.com.

Anótate para recibir los boletines del MHRH.

Referencias de la mano derecha de Dios

Éxodo 15:6, Tu **diestra**, Señor, reveló su gran poder; tu **diestra**, Señor, despedazó al enemigo.

Éxodo 15:12, Extendiste **tu brazo derecho**, ¡y se los tragó la tierra!

Deuteronomio 33:2, Vino el Señor desde el Sinaí: vino sobre su pueblo, como aurora, desde Seír; resplandeció desde el monte Parán, y llegó desde Meribá Cades con rayos de luz en su **diestra**.

Salmos 16:11 (RV60), Me mostrarás la senda de la vida; en tu presencia hay plenitud de gozo; delicias a tu **diestra** para siempre.

Salmos 17:7, Tú, que salvas con tu **diestra** a los que buscan escapar de sus adversarios, dame una muestra de tu gran amor.

Salmos 18:35, Tú me cubres con el escudo de tu salvación, y con tu **diestra** me sostienes; tu bondad me ha hecho prosperar.

Salmos 20:6 (RV60), Ahora conozco que Jehová salva a su ungido; lo oirá desde sus santos cielos con la potencia salvadora de su **diestra**.

Salmos 21:8, Tu mano alcanzará a todos tus enemigos; tu **diestra** alcanzará a los que te aborrecen.

Salmos 44:3, Porque no fue su espada la que conquistó la tierra, ni fue su brazo el que les dio la victoria: fue tu brazo, tu **mano derecha**; fue la luz de tu rostro, porque tú los amabas.

Salmos 45:4, Con majestad, cabalga victorioso en nombre de la verdad, la humildad y la justicia; que tu **diestra** realice gloriosas hazañas.

Salmos 48:10, Tu alabanza, oh Dios, como tu nombre, llega a los confines de la tierra; tu derecha está llena de justicia.

Salmos 60:5, Líbranos con tu **diestra**, respóndenos para que tu pueblo amado quede a salvo.

Salmos 63:8, Mi alma se aferra a ti; tu **mano derecha** me sostiene.

Salmos 74:11, ¿Por qué retraes tu mano, tu **mano derecha**? ¿Por qué te quedas cruzado de brazos?

Salmos 77:10, Y me pongo a pensar: «Esto es lo que me duele: que haya cambiado la **diestra** del Altísimo.»

Salmos 78:54, Trajo a su pueblo a esta su tierra santa, a estas montañas que su **diestra** conquistó.

Salmos 80:15, ¡Es la raíz que plantaste con tu **diestra**! ¡Es el vástago que has criado para ti!

Salmos 80:17, Bríndale tu apoyo al hombre de tu **diestra**, al ser humano que para ti has criado.

Salmos 89:13, Tu brazo es capaz de grandes proezas; fuerte es tu mano, exaltada tu **diestra**.

Salmos 98:1, Canten al Señor un cántico nuevo, porque ha hecho maravillas. Su **diestra**, su santo brazo, ha alcanzado la victoria.

Salmos 108:6, Líbranos con tu **diestra**, respóndeme para que tu pueblo amado quede a salvo.

Salmos 108:6, Líbranos con tu **diestra**, respóndeme para que tu pueblo amado quede a salvo.

Salmos 110:1, Así dijo el Señor a mi Señor:

> *«Siéntate a mi **derecha** hasta que ponga a tus enemigos por estrado de tus pies.»*

Salmos 118:15, Gritos de júbilo y victoria resuenan en las casas de los justos: «¡La **diestra** del Señor realiza proezas!

Salmos 118:16, ¡La **diestra** del Señor es exaltada! ¡La **diestra** del Señor realiza proezas!»

Salmos 138:7, Aunque pase yo por grandes angustias, tú me darás vida; contra el furor de mis enemigos extenderás la mano: ¡tu **mano derecha** me pondrá a salvo!

Salmos 139:10, aun allí tu mano me guiaría, ¡me sostendría tu **mano derecha**!

Isaías 41:10, Así que no temas, porque yo estoy contigo; no te angusties, porque yo soy tu Dios. Te fortaleceré y te ayudaré; te sostendré con mi **diestra** victoriosa.

Isaías 62:8, Por su **mano derecha**, por su brazo poderoso, ha jurado el Señor: «Nunca más daré a tus enemigos tu grano como alimento, ni se beberá gente extranjera el vino nuevo por el que trabajaste.

Jeremías 22:24, ¡Tan cierto como que yo vivo —afirma el Señor —, que aunque Jeconías hijo de Joacim, rey de Judá, sea un anillo en mi **mano derecha**, aun de allí lo arrancaré!

Lamentaciones 2:3, Cortó con el ardor de su ira todo el poderío de Israel; retiró de él su **diestra** frente al enemigo, y se encendió en Jacob como llama de fuego que ha devorado alrededor.

Lamentaciones 2:4, Como enemigo, tensó el arco; lista estaba su **mano derecha**. Como enemigo, eliminó a nuestros seres queridos. Como fuego, derramó su ira sobre las tiendas de la bella Sión.

Ezequiel 21:22, Con su **mano derecha** ha marcado el destino de Jerusalén: prepara arietes para derribar las puertas, levanta terraplenes y edifica torres de asedio; alza la voz en grito de batalla y da la orden para la matanza.

Habacuc 2:16, Con esto te has cubierto de ignominia y no de gloria. ¡Pues bebe también tú, y muestra lo pagano que eres! ¡Que se vuelque sobre ti la copa de la **diestra** del Señor, y sobre tu gloria, la ignominia!

Mateo 22:44, »"Dijo el Señor a mi Señor:

'Siéntate a mi derecha, hasta que ponga a tus enemigos debajo de tus pies.'"

Mateo 26:64, —Tú lo has dicho —respondió Jesús—. Pero yo les digo a todos: De ahora en adelante verán ustedes al Hijo del hombre sentado a la **derecha** del Todopoderoso, y viniendo en las nubes del cielo.

Mateo 27:29, Luego trenzaron una corona de espinas y se la colocaron en la cabeza, y en la **mano derecha** le pusieron una caña. Arrodillándose delante de él, se burlaban diciendo: —¡Salve, rey de los judíos!

Marcos 12:36, David mismo, hablando por el Espíritu Santo, declaró:

»*"Dijo el Señor a mi Señor: 'Siéntate a mi derecha, hasta que ponga a tus enemigos debajo de tus pies.'"*

Marcos 14:62, —Sí, yo soy —dijo Jesús—. Y ustedes verán al Hijo del hombre sentado a **la derecha** del Todopoderoso, y viniendo en las nubes del cielo.

Marcos 16:19, Después de hablar con ellos, el Señor Jesús fue llevado al cielo y se sentó a **la derecha** de Dios.

Lucas 20:42, David mismo declara en el libro de los Salmos:

»*"Dijo el Señor a mi Señor: 'Siéntate a mi derecha,*

Lucas 22:69, Pero de ahora en adelante el Hijo del hombre estará sentado a **la derecha** del Dios Todopoderoso.

Hechos 2:33 (RV60), Así que, exaltado por la **diestra** de Dios, y habiendo recibido del Padre la promesa del Espíritu Santo, ha derramado esto que vosotros veis y oís.

Hechos 2:34, David no subió al cielo, y sin embargo declaró:

>*"Dijo el Señor a mi Señor: Siéntate a mi **derecha,***

Hechos 5:31 (RV60), A éste, Dios ha exaltado con su **diestra** por Príncipe y Salvador, para dar a Israel arrepentimiento y perdón de pecados.

Hechos 7:55, Pero Esteban, lleno del Espíritu Santo, fijó la mirada en el cielo y vio la gloria de Dios, y a Jesús de pie a **la derecha** de Dios.

Hechos 7:56, —¡Veo el cielo abierto —exclamó—, y al Hijo del hombre de pie a **la derecha** de Dios!

Romanos 8:34, ¿Quién condenará? Cristo Jesús es el que murió, e incluso resucitó, y está a **la derecha** de Dios e intercede por nosotros.

Efesios 1:20, que Dios ejerció en Cristo cuando lo resucitó de entre los muertos y lo sentó a **su derecha** en las regiones celestiales,

Colosenses 3:1, Ya que han resucitado con Cristo, busquen las cosas de arriba, donde está Cristo sentado a **la derecha** de Dios.

Hebreos 1:3, El Hijo es el resplandor de la gloria de Dios, la fiel imagen de lo que él es, y el que sostiene todas las cosas con su palabra poderosa. Después de llevar a cabo la purificación de los pecados, se sentó a **la derecha** de la Majestad en las alturas.

Hebreos 1:13, ¿A cuál de los ángeles dijo Dios jamás:

>«*Siéntate a mi **derecha**, hasta que ponga a tus enemigos por estrado de tus pies*»?

Hebreos 8:1, Ahora bien, el punto principal de lo que venimos diciendo es que tenemos tal sumo sacerdote, aquel que se sentó a **la derecha** del trono de la Majestad en el cielo,

Hebreos 10:12, Pero este sacerdote, después de ofrecer por los pecados un solo sacrificio para siempre, se sentó a **la derecha** de Dios,

Hebreos 12:2, Fijemos la mirada en Jesús, el iniciador y perfeccionador de nuestra fe, quien por el gozo que le esperaba, soportó la cruz, menospreciando la vergüenza que ella significaba, y ahora está sentado a **la derecha** del trono de Dios.

I Pedro 3:22, quien subió al cielo y tomó su lugar a **la derecha** de Dios, y a quien están sometidos los ángeles, las autoridades y los poderes.

Apocalipsis 1:16, En su **mano derecha** tenía siete estrellas, y de su boca salía una aguda espada de dos filos. Su rostro era como el sol cuando brilla en todo su esplendor.

Apocalipsis 1:17, Al verlo, caí a sus pies como muerto; pero él, poniendo su **mano derecha** sobre mí, me dijo: «No tengas miedo. Yo soy el Primero y el Último,

Apocalipsis 1:20, Ésta es la explicación del misterio de las siete estrellas que viste en mi **mano derecha**, y de los siete candelabros de oro: las siete estrellas son los ángeles de las siete iglesias, y los siete candelabros son las siete iglesias.

Apocalipsis 2:1, Escribe al ángel de la iglesia de Éfeso: Esto dice el que tiene las siete estrellas en su **mano derecha** y se pasea en medio de los siete candelabros de oro:

Apocalipsis 5:1, En la **mano derecha** del que estaba sentado en el trono vi un rollo escrito por ambos lados y sellado con siete sellos.

Apocalipsis 5:7, Se acercó y recibió el rollo de la **mano derecha** del que estaba sentado en el trono.

Referencias de Dios a nuestra mano derecha

Salmos 16:8, Siempre tengo presente al Señor; con él a mi **derecha**, nada me hará caer.

Salmos 73:23, Pero yo siempre estoy contigo, pues tú me sostienes de la **mano derecha**.

Salmos 109:31, Porque él se pondrá a la **diestra** del pobre, para librar su alma de los que le juzgan.

Salmos 110:5, El Señor está a tu **mano derecha**; aplastará a los reyes en el día de su ira.

Salmos 121:5 (RV60), Jehová es tu guardador; Jehová es tu sombra a tu **mano derecha**.

Isaías 41:13, Porque yo soy el Señor, tu Dios, que sostiene tu **mano derecha**; yo soy quien te dice: "No temas, yo te ayudaré."

Isaías 63:12, el que los guió por la **diestra** de Moisés con el brazo de su gloria; el que dividió las aguas delante de ellos, haciéndose así nombre perpetuo,

Hechos 2:25, En efecto, David dijo de él:

> »*"Veía yo al Señor siempre delante de mí, porque él está a mi **derecha** para que no caiga.*

Referencias adicionales de la mano derecha

Génesis 48:17, A José no le agradó ver que su padre pusiera su **mano derecha** sobre la cabeza de Efraín, así que tomando la mano de su padre, la pasó de la cabeza de Efraín a la de Manasés,

Génesis 48:18, mientras le reclamaba: —¡Así no, padre mío! ¡Pon tu **mano derecha** sobre la cabeza de éste, que es el primogénito!

Mateo 5:30, Y si tu **mano derecha** te hace pecar, córtatela y arrójala. Más te vale perder una sola parte de tu cuerpo, y no que todo él vaya al infierno.

Apocalipsis 10:5, El ángel que yo había visto de pie sobre el mar y sobre la tierra levantó al cielo su **mano derecha**